GEORGES SIMENON
BELLA'NIN ÖLÜMÜ

KABALCI YAYINEVİ: 320
Simenon Dizisi: 1

Georges Simenon 13 Şubat 1903'te Liège'de (Belçika) doğdu. Çok genç yaşta yazmaya karar verdi. *La Gazette de Liège*'de gazeteci olarak çalışmaya başladığında onaltı yaşındaydı. İlk romanı Georges Sim takma adıyla 1921'de yayımlandı: *Au pont des Arches, petite histoire légoise.* Aralık 1922'de karısı, ressam Régine Renchon'la birlikte Paris'e yerleşti. Çeşitli takma isimler altında, birçok farklı türde popüler romanlar yayımladı: 1923-1933 yılları arasında yaklaşık iki yüz roman, binlerce hikâye ve sayısız makale. 1929 yılında yazdığı *Pietr-le-Letton* (*Letonyalı Pietr*, 1931) ünlü "Komiser Maigret" dönemini açan roman oldu. İster polisiye bir olayın etrafında gelişen ve genellikle sıradan insanların işlendiği, kusurlu, suçlu, yasadışı da olsalar onları yargılamaktan kaçınan, onlarla şeyler arasındaki ilişkileri daha iyi kavramak için onların mekânında onlarla birlikte yaşayan komiser Maigret dizisindeki eserlerinde olsun, ister çeşitli çevreleri, durumları, karakterleri incelediği psikolojik romanlarında olsun, Simenon, insan gerçeğini, gündelik hayattaki trajediyi her türlü yapaylıktan uzak, sade bir üslupla kaleme almakta ve atmosfer yaratmakta son derece ustadır.

Paris'te yaşadığı yıllar boyunca sık sık seyahat eden yazar uzun bir süre (1945-1955) ABD'de kalmış, 1957'de ise İsviçre'ye (Echandens) yerleşmiştir. *Je me souviens* (Hatırlıyorum, 1945) adlı kitabında çocukluk anılarına değinen Simenon, *Pedigree* (Soyağacı, 1948) adlı otobiyografisinde onu yazar yapan unsurlara ışık tutmuştur. 1952'de Belçika Kraliyet Akademisi'ne kabul edilen Simenon'un eserleri sayısız dile çevrilmiş, ayrıca pek çok defalar sinemaya uyarlanmıştır.

1973'te romancı kariyerine son verdiğini duyuran Simenon 4 Eylül 1989'da ölmüştür.

Georges Simenon

La Mort de Belle © 1952 Georges Simenon Limited
(a Chorion company). All rights reserved.

Bella'nın Ölümü

© Kabalcı Yayınevi, 2008

Birinci Basım: Haziran 2008

Kapak Düzeni: Gökçen Yanlı

Teknik Hazırlık: Zeliha Güler

Yayıma Hazırlayan: Çağan Orhon

KABALCI YAYINEVI

Ankara Cad. No: 47 Cağaloğlu 34112 İstanbul
Tel: (0212) 526 85 86 Faks: (0212) 513 63 05
yayinevi@kabalci.com.tr   www.kabalciyayinevi.com
internetten satış: www.kabalci.com.tr

KÜTÜPHANE BİLGİ KARTI
Cataloging-in-Publication Data (CIP)
Simenon, Georges
Bella'nın Ölümü

ISBN 975-997-126-7

Baskı: Yaylacık Matbaacılık San. Tic. Ltd. Şti. (0212 567-8003)
Litros Yolu Fatih San. Sitesi No: 12/197-203 Topkapı-İstanbul

GEORGES SIMENON

BELLA'NIN ÖLÜMÜ

Çeviri
Bilge Karasu

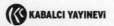
KABALCI YAYINEVİ

BİRİNCİ BÖLÜM

I

Kişinin, evinde gidip geldiği, alışıldık hareketleri, her günkü hareketleri yaptığı, yüz çizgilerinin yalnızca kendisi için gerildiği, sonra ansızın, başını kaldırınca, perdelerin açık kaldığının, sokaktan gelip geçenlerin kendisini seyrettiğinin farkına vardığı zamanlar olur.

Spencer Ashby de biraz bunu yaşadı işte. Gerçi, tıpkı öyle değil; çünkü, doğrusu ya, o gece kimsecikler ona dikkat etmemiş, ilgilenmemişti. İstediği gibi bir yalnızlığa kavuşmuştu; yorgan gibi kalın, dışarıdan tek bir gürültüyü olsun içeri sızdırmayan bir yalnızlığa... Üstelik lapa lapa yağmaya başlayan kar, sessizliğin daha bir gözle görülür, elle tutulur hale gelmesini sağlıyordu.

O gecenin daha sonra bir büyüteç tutularak inceleneceğini, kendisine yeniden yaşatılacağını, büyütecin altında duran kendisi değil de bir böcekmiş gibi davranılacağını, Spencer değil, kim olursa olsun, aklının köşesinden geçirebilir miydi?

Akşam yemeğinde ne yemişlerdi? Çorba yoktu o akşam, yumurta yenmemişti, hamburger de yoktu; Christine'in çeşitli yemek artıklarıyla hazırladığı, arkadaşlarının da onu sevindirmek için nasıl pişirdiğini sordukları yemeklerden birini yemişlerdi. Bu kez, fırında pişmiş bir kat makarnanın altında çeşitli etlerden artmış parçalar, hatta birkaç parça jambonla birkaç bezelye tanesi göze çarpıyordu.

"Sahi, Mitchell'lara benimle birlikte gelmeyecek misin?"

Yemek odası pek sıcaktı. Evlerini çok ısıtırlardı, sıcakta oturmayı sevdikleri için... Yemekte karısının yanakları al al olmuştu. Sık sık öyle olurdu. Hem bu hal ona yaraşmıyor da değildi. Kırkını yeni aşmıştı, ama arkadaşlarından biriyle konuşurken âdet döneminden bahsettiğini Spencer işitmişti.

Yemekte olup bitenlerin hepsi bulanık bir ışık içinde boğulup gidiyordu da, bu al basmış yanakları niye anımsıyordu? Bella yanlarındaydı elbette. Yanlarında olduğunu biliyordu. Ama sırtındaki giysinin rengini, konuştuysa sözlerinin konusunu anımsayamıyordu. Kendisi sustuğuna göre, iki kadın kendi aralarında konuşmuş olsalar gerekti. Hem sofraya elma geldiğinde bir "sinema" sözü edilmiş, Bella bunun üzerine ortadan kaybolmuştu.

Sinemaya yayan mı gitmişti? Belki de... Evden sinemaya şöyle bir yarım mil ya vardı ya yoktu.

Spencer karda yürümeyi her zaman sevmişti, hele yılın ilk karı yağdığında... Bundan böyle, uzun aylar boyunca, lastik çizmelerin sokak kapısının sağında, camlığın altında, enli kar küreğinin yanı başında dizili duracağını düşünmek, içine bir ferahlık veriyordu.

Christine'in tabakları, çatalı kaşığı bulaşık yıkama makinesine doldurduğunu işitmişti. Spencer'ın ocağın önünde ayakta durup, piposunu doldurduğu zamandı bu. Kar yağdığı için Christine, kalorifere bakmadan, ocağa iki kütük yerleştirmiş, tutuşturmuştu. Ama ocağı, oturma odasında hemen hemen hiç durmayan kocası için değil, ikindi çayına arkadaşları geldiği için yakmıştı.

"Yatacağın zaman, ben daha gelmemişsem kapıyı kilitlersin. Anahtarım yanımda.

— Ya Bella?

— İlk gösteriye gittiğine göre en geç dokuz buçukta burada olur."

Bütün bunlar öylesine alışılmış şeylerdi ki, gerçeklikleri bile kalmıyordu. Christine'in sesi yatak odasından geliyordu; Spencer da oda kapısının önünde durunca, karısının, yatağın kıyısına oturup kırmızı yün jarse pantolonunu ayağına geçirmekte olduğunu görmüştü. Ancak kışın sokağa çıkarken giydiği, sandıktan daha yeni çıkarmış olduğu bu pantolon hafif bir naftalin kokusu salıyordu. Karısının kaldırılmış eteğini görmekten sıkılmış gibi başını niye çevirmişti Spencer? Niye Christine de eteğini indirmek ister gibi bir hareket yapmıştı?

Gitmişti sonra karısı... Arabanın uzaklaştığını duymuştu. Gerçi evleri kente iki adımlık mesafede, neredeyse kentin içindeydi; yine de bir yerden bir yere gitmek için arabaya binerlerdi.

Spencer önce ceketini, boyunbağını çıkarmış, gömleğinin yakasını çözmüştü. Sonra ayağına terliğini giymek üzere, demin karısının oturmuş olduğu, hâlâ ılık duran yere, yatağın kıyısına ilişmişti.

Bu davranışları anımsamanın böylesine güç olması, –insanın kendi kendine:

"Dur bakalım. Ben orada duruyordum. Ondan sonra ne

yaptım? Her gün o saatte ne yaparım ben?" demek zorunda kalacağı ölçüde güç olması– garip değil midir?

Mutfağa gittiğini, soda şişesini çıkarmak üzere buzdolabını açtığını pekâlâ unutabilirdi. Elinde şişe, oturma odasından geçerken, önce, bir sehpanın üzerinde duran *New York Times*'ı, sonra da askılığın tablasında duran çantasını almak için eğildiğini de anımsamayabilirdi. Çalışma odasına, her kezinde elinde kucağında böyle bir sürü şey taşıyarak gider, her kezinde hiçbir şeyi yere düşürmeden odanın kapısını açıp kapamak bir dert olurdu.

Ev onarılıp yenileştirilmeden önce bu odanın ne olarak kullanıldığını Tanrı bilirdi. Belki çamaşırlık, belki sandık odası, belki de araç, avadanlık yeriydi burası bir zamanlar... Zaten Spencer'ın da güzel bulduğu, bu odanın başka odalara benzememesiydi: Her şeyden önce tavanı, merdivenin altına geldiği için, eğimliydi; sonra, odaya girmek için üç basamak inmek gerekirdi; yerler iri, düzensiz taşla döşeliydi. Son olarak, odanın tek penceresi öyle yüksekteydi ki, açılması için bir iple bir makara kullanılması gerekiyordu.

Bu odada her şey Spencer'ın elinden çıkmıştı: Badanasıydı, duvarlar boyunca uzanan raflarıydı, karmaşık aydınlatma düzeniydi... Basamakların dibinde, taşları örten İran kilimini de ucuzlukta bulup almıştı.

Christine, Mitchell'larda briç oynuyordu. Karısını düşündüğü zamanlar aklından –ara sıra– anne diye bir şey geçmesi nedendi sanki? Christine kendisinden ancak iki yaş büyüktü. Çocuk babası olan arkadaşlarından birkaçı karılarına, çocukların yanındayken anne, dedikleri için mi? Karısıyla konuşurken bu söz dilinin ucuna geldiği zamanlar sıkılıyor, bir çeşit suçluluk duygusuna kapılıyordu.

Christine briç oynamadığı zamanlar siyaset, yahut daha doğrusu, topluluğun gereksinimleri ve ilerletilmesi konularında konuşur, tartışırdı.

İşin gerçeğine bakılırsa kendisi de topluluğun yararına çalışırdı, çünkü yalnız başına oturduğu çalışma odasında öğrencilerinin tarih ödevlerini kontrol ederdi. Gerçi Crestview School yerel bir okul değildi. Tersine, bu okula özellikle New York'tan, Chicago'dan, güneyden, hatta San Francisco gibi uzak yerlerden gelen öğrenciler alınırdı. Üniversiteye iyi bir hazırlık okuluydu bu... Züppelerin dilinden düşmeyen üç dört okuldan biri değildi, ama pek güvenilir bir okuldu.

Christine'in topluluğu bu kadar düşünmesi pek mi gereksizdi? Evet, boyuna topluluğun sözünü etmesi, kesin konuşması, herkesin toplulukla uğraşmayı görev bellemesini istemesi gereksizdi. Christine'in kafasında hiçbir kuşkunun gölgelemediği açık seçik bir düşünce vardı: Kentin iki bin şu kadar nüfusu bir bütün oluştururdu; bu insanların arasındaki bağ, belirsiz bir dayanışma duygusu, bir görev duygusu değil, büyük ailelerin temelinde bulunan sımsıkı, karmaşık bağlar çeşidinden bir şeydi.

Spencer da bu bütünün bir parçası değil miydi sanki? Connecticut'lı değildi; daha kuzeydeki New England'ın Vermont kentindendi. Bu kente ancak yirmi dört yaşında, öğretmenlik etmek üzere gelmişti.

O günden sonra kendine bir yer açmıştı bu topluluğun içinde. Bu akşam karısıyla birlikte arkadaşlarına gitmiş olsaydı, herkes elini sıkacak, "Hello Spencer!" diye seslenecekti.

Çok sevilirdi. O da onları çok severdi. Tarih ödevi kontrol etmekten hoşlanırdı; doğabilimleri ödevlerini kontrol etmekten çok daha keyifli bir işti bu. Çalışmaya başlamadan önce dolaptan bir scotch şişesiyle bir bardak, çekmeceden de şişe açacağını almıştı. Bütün bu önemsiz hareketleri, farkına varmaksızın, o sırada ne düşündüğünü bilmeksizin yapıyordu. O gece ansızın bir resmi çekilseydi, neye benzerdi ki o resim?

Oysa resminin çekilmesinden daha beter işler yapılacaktı!

Viskisini alışageldiği üzere içerdi hep, ne daha hafif ne daha sert. Bir bardağın içilmesi de aşağı yukarı yarım saat sürerdi.

Ödevlerden biri Bob Mitchell'ındı; Christine'in bu akşam briç oynamaya gittiği evin oğlu... Babası Dan, mimardı; devletten bir görev istemeyi tasarladığı için evine resmi birtakım insanlar çağırmak zorunda kalıyordu.

Ama şimdilik Bob Mitchell'ın tarih ödevinin hakkı ancak altıydı. Spencer bu sayıyı kırmızı kalemle yazdı kâğıda.

Ara sıra, üç yüz metre ötedeki bayırda bir kamyonun zorlandığını duyuyordu. İşittiği tek gürültü buydu hemen hemen... Çalışma odasında saat bulunmuyordu. Spencer'ın, kol saatine bakmasını gerektirecek bir şey yoktu. Ödevleri kontrol etmek herhalde kırk dakikadan çok sürmemişti. Defterleri çantasına yerleştirdi, ertesi sabahki işlerini akşamdan hazırlama alışkanlığıyla çantasını oturma odasına götürdü. Bu alışkanlığı pek eskiydi; ertesi sabah çok erkenden sokağa çıkması gerekiyorsa, tıraş bile olur, öyle yatardı.

Pencerelerde pancur yoktu, Venedik kepenkleri vardı, bunlar da indirilmemişti. Bu kepenkleri ancak yatmaya giderken indirirlerdi kimi zaman; bütün gece indirmeden öylece bıraktıkları da olurdu.

Bir ara dışarıya, yağan kara baktı, Katz'ların evinde ışık gördü; Bayan Katz piyanonun önünde oturuyordu. İnce bir sabahlık vardı sırtında, şevkle çalıyordu, ama Spencer hiçbir şey işitmiyordu.

Kepengi indirmek üzere ipini çekti. Bunu yapmaya hiç alışkın değildi. Bu iş Christine'in işlerindendi. Özellikle yatak odasına girdiği zaman ilk işi pencereye gidip ipi eline almak olurdu; bundan sonra da kepengin inen latalarının sesi duyulurdu.

Spencer da yatak odasına –pantolonu ile gömleğini değişmek üzere– gitti. Dolabından çıkardığı kurşun rengi kaşe pantolonunu ince bir talaşla kaplamıştı.

Mutfağa gitmiş miydi bir daha? Soda almak üzere gitmezdi, çünkü bir şişe soda ona bütün gece yetiyordu. Oturma odasındaki kütüklere şöyle bir dokunduğunu, ayakyoluna gittiğini belli belirsiz anımsıyordu.

Spencer için önemli olan, daha sonra tornası başında geçirdiği saatti. Tornada, biraz karışık biçimli bir lamba ayağı üzerinde çalışıyordu. Çalışma odası, yazı odası olmaktan çok işlikti. Spencer bugüne değin başka güçlükleri yenmiş, tornasında, lamba ayağından başka birtakım tahta işleri çekmişti: Christine eşinin dostunun birçoğuna dağıtmıştı bunlardan; Yardımseverlerin bir piyangosu yahut satışı olduğu zamanlarda bu tahta işlerinden birini muhakkak kullanırdı. Spencer son zamanlarda lamba ayaklarına merak sarmıştı. Üzerinde çalışmakta olduğu ayağı başarıyla bitirirse karısına Noel armağanı diye vermeyi düşünüyordu. Bu tornayı ona dört yıl önce yine Noel armağanı diye veren Christine'di zaten. Karı koca iyi anlaşırlardı.

İkinci viskisini doldurmuş, hazırlamıştı. İşine öyle dalmıştı ki, piposunun söndüğü sanılabilirdi hafif hafif içişine bakılırsa; arada bir, sanki ateşini biraz harlatmak için, art arda birkaç nefes çekiyordu.

Tornanın toz haline getirdiği tahtanın kokusunu, makinenin gürültüsünü, seviyordu.

Odanın kapısını örtmüş olmalıydı. Nereye giderse ardından kapıyı da örterdi. Başkaları nasıl yorganlarının altına sığınırsa, Spencer da odalara sığınır gibiydi bu haliyle...

Torna işlerken bir ara başını kaldırmış, üç basamağın tepesinde Bella'nın ayakta durduğunu görmüştü. Bayan Katz'ın piyano çaldığını gördüğü halde çıkardığı sesleri işitememesi gibi, Bella'nın da dudaklarının kıpırdadığını görüyor, ama torna gürültüsünün bastırdığı sözlerini işitemiyordu.

Başıyla Bella'ya biraz beklemesini işaret etti. Elindeki işi bırakamazdı. Bella'nın kızıl kahverengi saçlarını koyu renkli bir bere örtüyordu. Mantosu sırtındaydı. Ayaklarından lastik çizmelerini çıkarmamıştı.

Spencer'a Bella'nın keyfi yokmuş, yüzü donukmuş gibi geldi. Ama bütün bunlar pek kısa sürdü. Bella, Spencer'ın hiçbir şey işitemediğini anlayamamış, dönüp gidiyordu. Söylediği son sözleri ancak dudaklarının hareketinden anlamıştı Spencer:

"İyi geceler."

Kapıyı –oldukça güç kapandığından– önce iyi örtemedi; sonra geri dönüp tokmağını çevirdi, kapadı. Spencer, az kalsın Bella'ya seslenecekti. "İyi geceler"den başka ne demiş olabileceğini merak etmişti. Oturma odasından geçerken lastik çizmelerini çıkarmak evin kurallarından biriydi; Bella buna uymamıştı; yoksa yeniden sokağa mı çıkacaktı? Çıkmayı düşünüyor olabilirdi de. On sekiz yaşındaydı. Özgürdü. Akşamları ara sıra delikanlılar onu Torrington yahut Hartford'a götürürlerdi; bu akşam da onu sinemadan arabasına bindirerek eve getiren onlardan biri olsa gerekti.

O anda işinin en ince noktasına dalmamış olsaydı, olaylar belki de bambaşka bir yol tuttururdu. Sezgiye pek bel bağlamazdı Spencer, bağlamazdı ama, birkaç dakika ya geçmiş ya geçmemişti ki, tornayı durdurup başını kaldırdı, kulak verdi; Bella'yı bir araba bekliyor muydu? Arabanın kalkıp uzaklaştığını duyacak mıydı? Ama aradan vakit geçmişti: Araba gerçekten beklediyse artık uzaklaşmış olsa gerekti.

Bella'yı niye merak etsindi? Çalışma odasının ışığında, beklemediği bir anda onu merdivenin başında görmekten duyduğu şaşkınlık içinde yüzünü biraz solgun, –belki de– biraz üzgün bulmuştu da ondan mı?

Yukarı çıkabilir, Bella'nın odasında olup olmadığını anlayabilirdi; ya da pek meraklı görünmekten çekiniyorsa, kapısının altından ışık sızıp sızmadığına bakabilirdi.

Bunu yapacak yerde, tuttu, piposunu iki yıl önce yaptığı kül tablasına dikkatle, uzun uzun boşalttı; bir daha doldurdu –tütün kutusunu da kendisi yapmıştı; bu kutu üstelik başardığı ilk zor işiydi– sonra scotch'undan bir yudum daha içti, yeniden çalışmaya başladı.

Telefon çaldığında artık Bella'yı da, başkalarını da usundan çıkarmıştı. Birkaç ay önce, çalışma odasında geçirdiği saatler düşünülerek, oraya da bir telefon yerleştirilmişti.

"Spencer?

— Benim."

Telefon eden Christine'di; sesinin arkasında birçok yabancı ses duyuluyordu. O anda Spencer saatın kaç olduğunu kestirecek durumda değildi.

"Çalışıyor musun hâlâ?

— Bir on dakikalık işim var daha.

— Her şey yolunda mı? Bella eve döndü mü?

— Evet.

— Bir parti briç oynamak istemiyor musun sahi? Arabalılardan biri gelip seni evden alabilir...

— Canım istemiyor doğrusu.

— O halde beni beklemeden yatarsın, e mi? Ben gecikirim, hem epey geç kalırım. Marion'la Olivia kocalarıyla birlikte yeni geldiler, bir turnuva düzenlenecek şimdi."

Kısa bir sessizlik. Tokuşan bardak çıngırtıları geliyordu. Evi biliyordu Spencer, oturma odasının yarım daire biçimindeki kocaman kırmızı kanepelerini, açılır kapanır briç masalarını, herkesin sırayla gidip buz aldığı mutfağı biliyordu...

"Bize katılmamaya karar verdin demek? Gelseydin herkes öyle sevinirdi ki..."

Bir ses, Dan Mitchell'ın sesi, telefonda öttü:

— Gelsene, koca tembel!

Dan bir şeyler yiyordu.

— Ne karşılık vereyim? Dan'in söylediklerini duydun mu?

— Sağ olsun. Evde kalacağım.

— Peki, iyi geceler o halde. Geldiğimde seni uyandırmamaya çalışırım.

Tezgâhının üzerini topladı. Temizliğini hafta da bir kendisinin yaptığı çalışma odasında hiç kimse hiçbir şeye dokunmazdı. Bir köşede pek eski, alçacık, eşine artık hiçbir yerde rastlanmayan bir meşin koltuk dururdu; o koltuğa oturdu, bacaklarını uzattı, eline aldığı New York Times'a bir göz attı.

Yatmadan önce hem soda şişesiyle boş bardağı götürmek, hem de ışığı söndürmek için gittiği mutfakta elektrikli bir saat vardı. Saate bakmadı. Usundan geçmedi bakmak. Koridora çıkınca Bella'nın kapısına doğru da gözünü çevirmedi. Gerçekte Bella, Spencer'ın pek de umurunda değildi. Kısa bir süredir evlerinde kalıyordu, üstelik yakında ayrılacaktı; ev halkından değildi ki...

Odasının Venedik kepenkleri hafif aralıktı, onları iyice örttü, kapıyı da kapadı, soyundu, elbiselerini, çamaşırını teker teker yerlerine yerleştirdi, belirsiz bir saatte yattı, son ışığı söndürmek üzere kolunu uzattı.

Bütün bu süre içinde, bir doğa bilgininin büyüteci altında küçük yaşayışını sürdüren, bir işinden ötekine koşan bir böceği mi andırmıştı? Belki de, kim bilir?... Bir insan olarak – Christine'in diyeceği gibi, topluluğun bir üyesi olarak– günlük yaşayışını yaşamış, ama bu işler düşünmesine engel olmamıştı. Uykuya dalmadan önce bile biraz düşünebildi; bulunduğu yerin, çevresindeki eşyanın, evin, oturma odasındaki ocakta sönmeye yüz tutan ateşin, ertesi gün garaj yolundan süpüreceği karların bilincindeydi; başka şeylerin daha bilincindeydi: Örneğin Katz'ların varlığının, başka evlerde yaşayan, ışıklarını istese görebileceği başka insanların; Crestview School'un tepenin doruğunda duran, tuğladan yapılı geniş yatakhanesinde uyumakta olan yüz seksen öğrencisinin bilincindeydi...

Soyunurken karısının çoğu zaman yaptığı gibi, radyonun düğmesini çevirmek zahmetine katlansaydı, her yönden gelen müzikleriyle, sesleriyle, felaket haberleriyle, hava durumu bültenleriyle bütün dünya odasına dolardı.

Hiçbir şey duymadı, hiçbir şey görmedi. Uyudu, sabahın yedisinde, çalar saat çaldığı zaman, Christine'in yanında kıpırdandığını, kalktığını, mutfağa girip kahve suyunu ateşe sürdüğünü duydu.

Hizmetçileri yoktu, haftada iki gün gelip işlerini gören bir kadınları vardı sadece...

Banyosunu dolduracak su musluktan akmaya başladı. Dışarıya bakmak üzere perdeyi araladı; ortalık daha aydınlanmamıştı. Yalnızca gökyüzü biraz daha kurşunsu, karın aklığı biraz daha kireçsiydi; bütün renkler, Katz'ların yeni evinin pembe tuğlaları bile daha sert, daha yavuz görünüyordu.

Kar yağmıyordu artık. Damdan, karlar eriyecekmiş gibi, birkaç damla su döküldü. Karlar gerçekten eriyecek olursa, bunun anlamı çamurdu, pislikti; ayrıca kayaklarını, patenlerini hazırlamış olan öğrencilerin okuldaki huysuzluklarıyla da uğraşmak gerekecekti.

Mutfağa girdiği zaman saat hep yedi buçuğa gelmiş olurdu. Kahvaltı, sadece kahvaltı için kullanılan küçük, beyaz boyalı bir masada hazır durur, Christine de saçını toplamaya vakit bulmuş olurdu. Spencer'a mı öyle geliyordu, yoksa bu saçlar sabahları gerçekten mi daha soluk, daha donuk sarıydı?

Domuz pastırmasının, kahvenin, yumurtaların kokusunu severdi; karısının bu kokulara karışan sabah kokusunu da severdi gizlice... Bütün bunlar onun için günün başlangıç saatlerinin havasını oluşturan şeylerdi; bu kokuyu bin çeşit kokunun içinden yine de seçer, bilirdi...

"Kazandın mı?

— Altı buçuk dolar. Marion'la kocası her zamanki gibi, herşeyi kaybettiler. İkisinin bir arada otuz dolardan çok zara rı var."

Sofrada üç kişilik takım vardı, ama Bella'nın onlarla birlikte kahvaltı ettiği pek seyrek görülürdü. Uyandırmazlardı onu. Arkasında sabahlığı, ayağında terliği, kahvaltının sonuna doğru çıkageldiği çok olurdu, ama Spencer'ın onu sabahları görmediği zamanlar daha da çoktu.

"Bunu olağanüstü bulan Marion'a dedim ki..."

O sabahki konuşmalar akşamkilerden daha da sıradan konuşmalardı; anımsanacak tek bir söz, üzerinde durulacak tek bir nokta yoktu, birkaç özel adın süslediği bir çeşit tatlı mırıldanmaydı bu... Adlar artık bir şey anımsatmayacak ölçüde alışılmış adlardı.

Bunun artık önemi yoktu zaten, ama Spencer bunun farkında değildi daha, kimsecikler farkında değildi. Her sabah olduğu gibi, kentin yaşayışı bu sabah da banyo odalarında, mutfaklarda, kocaların ayakkabıları üzerine lastik çizmelerini geçirdikleri eşiklerde, arabaların işletilmeye başlandığı garajlarda uyanıyordu.

Spencer çantasını unutmadı. Hiçbir zaman hiçbir şeyini unutmazdı. Arabanın direksiyonuna geçtiğinde ilk piposunu içmeye başlamıştı; pencerelerden birinde ufak tefek Bayan Katz'ın pembe sabahlığı gözüne ilişti.

Evlerinin çevresindeki öbür evler tepenin yamacına dağılı duruyordu. Bu evler şimdi karların örttüğü çimenliklerin ortasında bulunurdu. Birkaçı —Katz'larınki gibi— yeniydi, ama çoğu New England'ın eski, güzel ahşap evleriydi. İki üç tanesi kolonyal revaklı, hepsi beyaz boyalıydı.

Ana caddeyi oluşturan postane, üç bakkal dükkânı, birkaç mağaza daha aşağıda kalıyordu. Yolun iki ucunda benzinlikler vardı. Kar temizleme makinesi yoldan geçmiş, kaldırımlar arasında enli, kara bir yol çizmişti.

Ashby gazetesini almak için durdu, konuşulanlara kulak verdi:

"Birazdan yine kar yağacak, gece bastırmadan önce de herhalde fırtına başlar..."

Postaneye girdiğinde, herhalde hava durumu bülteninde söylenmiş olan bu sözler, ona hiçbir değişikliğe uğratılmadan yinelendi.

Irmağı geçtikten sonra, okula giden dönemeçli yoldan tırmanmaya başladı. Yer yer ağaçların kapladığı tepenin bütünü okulun malıydı; tepenin üstünde, öğretmen evlerinden başka on kadar yapı vardı. Christine'in kendi evi olmasaydı, onlar da o evlerden birinde oturacaklardı; zaten Ashby, Christine'le evlenmeden önce, yıllarca bu evlerin en genişinde, bekâr öğretmenlere ayrılmış olan yeşil damlısında oturmuştu.

Arabasını bir garaja soktu. Garajda yedi araba daha vardı. Kapının önündeki merdivenden çıkarken kapı açıldı; sekreter Bayan Cole yolunu kesmek istermiş gibi önüne doğru atıldı.

"Karınız demin telefon etti. Hemen eve dönmenizi rica ediyor.

— Başına bir şey mi gelmiş?

— Hayır, ona bir şey olmamış. Bilmiyorum. Yalnızca heyecanlanmamanızı söylememi rica etti; bir dakika bile geçirmeden eve dönmeniz çok önemliymiş, öyle söyledi."

Sekreteryaya girip telefon etmek üzere içeri geçmek istedi.

"Kendisini arayarak vakit geçirmemenizi özellikle istedi karınız."

Meraklandı, kaşları çatıldı, yüzü asıldı, ama doğrusu ya, öyle çok da heyecanlanmadı. Christine'in ricasına aldırmadan evinin numarasını çevirmek bile geliyordu içinden. Yolunu hâlâ kesmekte olan Bayan Cole orada durmasa bu işi yapacaktı da...

"Peki! O halde müdüre söylersiniz...

— Haber verdim bile...

— İlk ders saatinin sonundan önce dönebileceğimi umarım..."

Bu iş kafasını kurcalıyordu... İçindeki duyguyu anlatmak için en doğru deyim buydu galiba. Belki de her şeyden önce, Christine'in bu davranışı her zamanki davranışına benzemediğinden... Christine'in de herkes gibi kusurları vardı, ama entipüften bir şey karşısında heyecana kapılacak kadınlardan değildi; hele onu okuldayken rahatsız etmek yapacağı şey değildi... Pratik bir insandı, baca tutuşsa kocası yerine itfaiyeyi, bir rahatsızlık yahut yaralanma durumunda da doktoru çağırırdı.

Yoldan inerken, işine gitmeden önce oğlunu okula götüren Dan Mitchell'a rastladı. Bir an Dan'in niye şaşırmış göründüğünü merak etti. Ancak daha sonra, o saatte tepeye çıkacak yerde aşağı inmesinin görenlere tuhaf geleceğini düşünebildi.

Ana caddede dikkati çekecek bir şey yoktu, evinin yakınlarında herhangi bir gidiş geliş, herhangi bir yerde alışılmadık bir şey yoktu. Ancak bahçesine girdikten sonra kendi garajının kapısı önünde Doktor Wilburn'ün arabasını gördü.

Karların içinde yürüyeceği yol beş adımdı zaten, piposunu cebine sokuverdi, eşikte durup elini zile doğru uzattı. Zili daha çalmamıştı ki kapı kendiliğinden açıldı; demin okulda olduğu gibi...

Kapıdan girince karşılaştığı durum, önceden kestirebileceği şeylerin hiçbirine benzemiyordu, o güne değin yaşayıp gördüklerinin hiçbirine haydi haydi benzeyemezdi.

Aynı zamanda okul doktorluğunu da yapan Wilburn altmış beş yaşlarında bir adamdı. Onlarla her zaman alay eder gibi bir hali olduğu için birtakım kimseler ondan biraz çekinirlerdi. Birçok kimseye göre Wilburn kötü bir insandı. Kesin olan bir şey varsa, doktorun beğenilmek için herhangi bir şey yapmadığı, kötü haberleri de özel bir biçimde gülümseyerek verdiğiydi.

Kapıyı o açmıştı Spencer'a; ağzını açıp bir şey söylemeksizin önünde duruyor, gözlüğünün üzerinden bakmak için başını eğiyordu. Christine ise odanın en karanlık köşesine çekilmiş, kapıya dönmüş bakıyordu.

Hiçbir suçu olmadığı halde Spencer neden içinde bir suçluluk hissetti? O anda odadaki ışık, kirlenmiş karın yansısı, kapkara göğün donuk aydınlığı bir araya geliyor; Ashby'yi kendi evine buyur ederken az aydınlatılmış bir çeşit mahkemeye alır gibi davranarak kapı tokmağını tutan kurnaz yüzlü doktoru etkileyici bir havaya bürüyordu.

Spencer silkindi, sesini duydu:

"Ne oluyor?

— Girin içeri."

Spencer bu buyruğa uydu, oturma odasına girdi, paspasın üzerinde, ayakta, lastik çizmelerini çıkardı. Sorusuna hâlâ kimse karşılık vermiyordu; insan değildi sanki, bir söz olsun söylemiyordu kimsecikler.

"Christine, kim hastalandı?"

Karısı yaptığının farkında değilmişçesine dönüp koridora doğru yürürken, Spencer sordu:

"Bella mı?"

İkisinin durup birbirlerine baktıklarını pek güzel gördü. Daha sonraları bu bakışları sözlere çevirebilecekti. Christine'in bakışı doktora:

"Görüyorsunuz ya... Gerçekten, hiçbir şeyden haberi yokmuş gibi... Siz ne dersiniz?"

Spencer'ın hiçbir zaman tiksinmediği Wilburn ise bakışıyla cevap veriyor gibiydi:

"Elbette... Haklı olabilirsiniz... Her şey olabilir, değil mi? Hem, doğrusunu isterseniz, bu sizin bileceğiniz bir iş..."

Christine sesini çıkardı,

"Bir felakete uğradık Spencer"

Koridorda iki adım attıktan sonra geri döndü.

"Dün gece çıkmadığından eminsin, değil mi?

— Çıkmadım elbette.

— Bir an için olsun evden ayrılmadın...

— Evden hiç ayrılmadım."

Christine bir daha doktordan yana baktı. Bir daha iki adım attı. Düşündü, yeniden durdu.

"Gece hiçbir şey duymadın mı?

— Hiç... Tornamın başında çalıştım. Niye soruyorsun?"

Ne demekti bütün bunlar? Yeterdi artık. Utanç duyacaktı neredeyse; özellikle suçlu biri gibi etki altında kalıp her sorulana karşılık vermekten...

Christine elini kapıya doğru uzattı.

"Bella öldü."

Belki de daha önce olup bitenler yüzünden bu haber doğrudan doğruya bir yumruk gibi geldi oturdu midesine, kusmak istedi. Sanki Wilburn tepkilerini görmek, gerekirse kaçışını önlemek üzere arkasında duruyordu.

Spencer doğal bir ölümden söz edilmediğini anlamıştı, doğal bir ölüm üzerine böyle haller takınılmazdı. Niye ama onları açıkça sorguya çekemiyordu? Neden şaşkınlığı git gide artırıyormuş gibi davranıyordu karşılarında?

Sesi bile her zamanki gibi çıkmıyordu!

"Neden ölmüş?"

Yeni farkına varmıştı Spencer! İkisinin de istediği, kendisinin gidip Bella'nın odasına bakmasıydı. Bu onlarca bir çeşit sınanma sayılsa gerekti; oysa Spencer, Tanrı bilir neden, odaya gidip bakmaktan çekiniyor, neden korktuğunu ise hiç anlayamıyordu.

Gözünü gözüne dikip bakan Christine'in bir yabancınınki gibi soğuk, keskin bakışı Spencer'a kararını verdirdi; ileriye doğru bir adım atması için onu zorladı. Spencer adımını atıp başını eğerken Wilburn'ün soluğunu ensesinde hissediyordu.

II

O anı, yıllar boyu uykuya dalacağı sırada Spencer'ı tedirgin eden 'utanç verici' üç dört anıdan biriydi. On üç yaşındaydı galiba; karlı bir cumartesi günüydü, kar öyle çok yağmıştı ki, insan kendini uçsuz bucaksızlığın içinde hapsedilmiş gibi hissediyordu; Vermont'un ambarlarından birinin içindeydiler; yanında, kendi yaşında bir çocuk vardı.

İnsanı sıcacık tutan samanın içinde kendilerine birer oyuk açmışlardı; susuyor, dışarıya, ağaç dallarının karmaşık, kara nakışına bakıyorlardı. Sessiz, hareketsiz durma yetilerini belki de sonuna değin harcamış, tüketmişlerdi artık... Arkadaşının adı Bruce'tu. Şimdi bile Ashby o günü anımsamamayı yeğlerdi. Bruce cebinden bir şey çıkarmış, Spencer'ı daha o anda uyarması gereken bir sesle konuşarak elindekini uzatmıştı:

"Bilir misin bunu?"

Açık saçık bir resimdi Bruce'un elindeki; karın üzerinde ağaçlar nasıl çiğ çiğ seçiliyorsa, etlerin sanki hastalıklı aklığı üzerinde de ayrıntılar öyle belli oluyordu.

Resme bakarken bir saniye içinde tepeden tırnağa kızarmış, boğazına bir şeyler tıkanmış, gözleri nemlenip yanmıştı. Bütün gövdesi o zamana değin bilmediği bir heyecanla sarsılmıştı; resimdeki çıplak iki gövdeye de, arkadaşının yüzüne de bakamamıştı, ama gözlerini kaçırmayı da becerememişti.

Başını güçlükle, neden sonra kaldırdığında, Bruce'un yüzündeki çirkin, alaycı, yüzsüz gülüşü görünce– yaşamının en sıkıntılı anı diye düşünmüştü yıllar boyunca.

Bruce, Spencer'ın nasıl bir şey hissettiğini biliyordu. Bu resmi ona bilerek göstermiş, ondaki değişikliği gözlemişti. Bruce komşuları olduğu, ailece görüştükleri halde, Ashby o günden sonra onunla okul dışında herhangi bir yerde görüşmemeye çalışmıştı.

İşte! Bunca yıldan sonra Bella'nın odasına bakarken hissettiği şey, o gün hissettiğinin hemen hemen aynıydı; etine saplanır gibi ansızın basan o sıcaklık, gözlerinin yanması, boğazına bir şeyler tıkanması, utanç... Hepsi o günkü duygular gibiydi... Üstelik yanında, ona, Bruce'un bakışına benzer bir bakışla bakacak biri vardı.

Doktor Wilburn'ün yüzüne bakmadan da Ashby bundan emindi.

Venedik kepenkleri çekilip kaldırılmış, perdeler açılmıştı; hemen hemen hiçbir zaman yapılmayan bir şeydi bu. Bu yüzden oda uzak köşelerine değin karlı bir sabahın sert ışığıyla aydınlanıyor, gölgesiz, gizemsiz kalıyordu. Bu oda evin öbür odalarının hepsinden daha soğukmuş gibi geliyordu insana.

Ceset odanın orta yerinde, yeşil kilimin üzerinde yatıyordu; gözleri açık, ağzı aralıktı; mavi yünlü etekliği göbeğine değin kaldırılmıştı, çorapları tutan jartiyer ile korsesi açıkta kalıyordu; soluk pembe renkli donu ise mendil gibi buruşturulmuş, top edilmiş halde biraz ötede duruyordu.

Oracıkta duraklamış, kıpırdamamıştı Spencer. Kısa bir

süre sonra Christine'in cesedin üzerine bir çarşaf örtermiş gibi kapıyı örtmesi karşısında, gönül borcuna benzer bir şey hissetti içinde.

Buna karşılık Spencer, tedirginliğinin gerçek niteliğini anladığını gülümseyişiyle belli eden Doktor Wilburn'e karşı sönmeyecek bir tiksinti duydu.

Earl Wilburn konuştu:

"Buradan Coroner'a[1] telefon ettim. Gelir neredeyse."

Oturma odasındaydılar yine; sabahın ışığı yetersiz olduğundan lambalar yanıyordu. Aralarından yalnızca doktor bir koltuğa kurulmuştu.

"Ne yapmışlar kıza?"

Sormak istediği bu değildi Spencer'ın.

"Neden ölmüş?" demek istemişti.

Daha doğrusu:

"Nasıl öldürülmüş?" diye soracaktı.

Ortalıkta kan falan görmemişti, gözüne çarpan ancak derinin alışılmadık aklığıydı. Bir türlü toparlanamıyordu. Karısıyla doktorun ondan şüphelenmiş olduklarına, belki de hâlâ şüphelendiklerine inanıyordu şimdi. Karşısında açık yürekle davranılmadığı şundan belliydi: Christine, Bella'nın cesedini bulunca, herkesten önce kocasına telefon etmemişti; oysa düşünülürse, bir karar vermek, bu durumda ne yapacağını kestirmek Spencer'ın işi olmalıydı.

Christine kocasının aklından geçenleri sezmiş gibi:

"Doktor Wilburn buranın adlî doktorudur," dedi.

---

[1] *Ing.* şüpheli ölüm olaylarını araştıran memur, sorgu yargıcı.

Yardımseverler toplantılarından birinde takınacağı halle:

"Şüpheli ölüm durumlarında en önce haber verilmesi gereken kimse odur," diye ekledi.

Böyle konuları, resmi işleri, herkesin görevleriyle haklarını iyi bilirdi Christine.

"Bella'yı boğmuşlar… Orası muhakkak. Doktor da Litchfield'deki coroner'a bu yüzden haber verdi.

— Polise haber vermedi mi?

— Bölge polisine mi, eyalet polisine mi haber verileceğini ancak coroner kararlaştırır.

— Bugün okula gidemeyeceğimi müdüre haber verirsem iyi olacak sanırım, diyerek içini çekti Spencer.

— Ben ona telefon ettim zaten, seni beklemiyor.

— Anlattın mı?

— Bella'nın başına bir felaket geldiğini söyledim, başkaca bilgi vermedim ona."

Karısının telaşa kapılmamasını kınamadı. Onun bu hali katı yürekliliğinden değil, zamanla kendisini eğitmiş olmasındandı; biliyordu. İnsanların bu olayı nasıl öğreneceklerini düşünerek kaygılandığına, olup bitenleri ölçüp biçtiğine, onun da bir iki yere telefon etsem mi etmesem mi diye ikircik içinde olduğuna kalıbını basabilirdi Spencer.

Ancak o zaman sırtından yağmurluğunu, başından şapkasını çıkardı, cebinden piposunu aldı, her zamanki sesini sonunda bularak:

"Bir sürü araba geleceğine göre, bizim arabayı garaja sokayım da yolu açayım bari," dedi.

Kendini toparlamasına yardım edecek bir yudum viskiyi

aklından şöyle bir geçirdi, ama üzerinde durmadı. Garajdan çıkarken, Bill Ryan'ın arabasının yokuş yukarı geldiğini gördü; Bill'in yanında Spencer'ın tanımadığı bir genç kadın vardı. Demin coroner'ın sözü edilirken bunun Ryan'dan başkası olmadığı aklına gelmemişti bile.

Bir tuhaf oldu. Belki de Ryan'ı ancak birkaç kez, o da partilerde görmüş olduğu için... Bill bu toplantılarda en yüksek sesle konuşanlardan, aşırı içtenlik gösterenlerden biriydi.

Evine girerken, Katz'ların penceresindeki pembe sabahlığa Spencer'ın bir daha gözü ilişti.

"Ne oldu Spencer? Yanlış anlamadımsa birini öldürmüşler?

— Doktor size bilgi verir. Sizi çağıran o."

Spencer bilirdi ki, o sabahki haline benzer bir halde olan öğrencilerinden o gün için hiçbir hayır beklenemezdi. Doktordan başka kimseciklere kızgın değildi. Hatta Christine'e – arada bir ondan yana olduğunu anlatmak ister gibi, yüreklendirici bir bakışla baktığı için– gönül borcu bile duyuyordu. Hem bunda yalan da yoktu, iyi dosttular Spencer'la Christine...

"Sekreterim Bayan Moeller'le tanıştırayım sizleri. Bayan Moeller, mantonuzu çıkarıp not tutmaya hazırlanabilirsiniz."

Ryan kızın doğrudan doğruya adını söylemeye alışık gibiydi, soyadını söylerken her kezinde güçlük çekiyordu; kendi evindeymişçesine davrandığı için de Christine'den özür diledi.

"İzin verir misiniz?"

Wilburn'ü bir köşeye çekti. Konuştukları duyulmuyordu,

uzaktan Spencer'la Christine'i teker teker süzüyorlardı; so-
nunda odaya doğru yürüdüler. Önce açık bıraktıkları kapıyı
biraz sonra kapadılar.

Şapkasını, mantosunu, lastiklerini çıkarmış olan Bayan
Moeller'in bir el aynası karşısında saçını düzelttiğini görmek,
Spencer'ın canını niye sıktı? Tarağın pek temiz olmadığına
bahse girebilirdi. Bu kızın öyle dikkati çekecek bir yanı yok-
tu; etleri kalın, sönük olmalıydı, ama saldırgan türden bir ka-
dındı herhalde. Ryan'a gelince, kırk yaşlarında, kanlı canlı,
geniş omuzlu bir adamdı; karısı ise sık sık rahatsızlanırdı.

Christine:

"Bir fincan kahve içmez miydiniz Bayan Moeller? diye sor-
du.

— İçerim, sağ olun."

Spencer, ancak o zaman karısının, kendisinin okula gidip
geldiği kısa süre içinde giyinip taranmaya vakit bulmuş oldu-
ğunu fark etti. Christine'in yüzü her zamankinden solgun de-
ğildi; tersine... Ama bir heyecan belirtisi ancak lacivert gözle-
rinde görünüyordu, sürekli olarak hiçbir yerde duramayan
gözlerinde... Bir oraya bir buraya bakıyordu, ama hiçbir şey
görmüyor gibi bir hali vardı.

"İzin verirseniz, bir iki yere telefon edeceğim."

Ryan oturma odasına dönmüştü. Eyalet polisini çağırıyor,
senli benli arkadaşı görünen bir teğmenle konuşuyor, sonra
başka bir numara çevirip patronca talimat veriyordu.

Biraz sonra Christine'e:

"Korkarım, sizi bugün çok tedirgin edeceğiz efendim, de-
di. Bu odayı kullanmamıza izin verir misiniz? Bayan Moeller,

bir sehpa ister misiniz?

— Kanepenin kolu bana yeter."

Bayan Moeller bu sözleri söylerken elbisesini çekiştiriyordu. Koltuk alçaktı; minderlere gömülmüş otururken dizleri yüksekte kalıyordu kızın... Işıyan sütunlar gibi görünen bu bacakları örtmek üzere on kez, yirmi kez bu hareketi boşu boşuna yineleyecekti. Öyle ki Spencer diş gıcırdatacak ölçüde sinirlenmişti sonunda bu işe...

"Herkese, rahat rahat yerine yerleşmesini salık veririm. Bir yandan, eyalet polisinden Teğmen Averell'ı, öbür yandan da bölge polisinden eski bir iş arkadaşımı bekliyorum. Onlar geledursun, sizlere birtakım sorular sormak isterim.

Gözlerini kırparak Bayan Moeller'e:

"Haydi, hazır olun," der gibi baktı.

Daha sonra bir Ashby'ye, bir de karısına baktı, duraksadı, kesin karşılıklar almak için Christine'i sorguya çekmenin doğru olacağını kestirdi.

"Önce, bu kızın adını söyler misiniz? Onu sizin yanınızda gördüğümü anımsamıyorum...

— Ancak bir aydan beri yanımızdaydı."

Christine, sekretere dönmüş, kızın adını söylüyor, harflerini teker teker yazdırıyordu:

"Bella Sherman.

— Boston'lu bankacının ailesinden mi?

— Hayır. Başka Sherman'lardan, Virginia'lı Sherman'lardan.

— Akrabanız mı olur bunlar?

— Ne benim akrabam, ne de kocamın akrabası. Bella'nın annesi Lorraine Sherman çocukluk arkadaşımdır. Daha doğrusu aynı lisede okuduk onunla."

Pencerenin önünde oturan Ashby dalgın, somurtkan –en azından asık– bir suratla dışarıya bakıyordu. Karısının her zaman mektuplaştığı birkaç arkadaşı vardı böyle; yemekte bunlardan söz açar, sanki Spencer da onları yıllardır tanırmış gibi adlarını söyler dururdu.

Spencer bu arkadaşları görmeden tanımıştı artık.

Uzun zaman Lorraine de öbür adlar arasında bir ad olarak kalmıştı. Spencer onu hayal ederken güney illerinde belirsiz bir yere yerleştiriyor, biraz erkeksi, iri yarı, adım başında kahkaha atan, göz alıcı renklere bürünüp dolaşan bir kız olarak canlandırıyordu gözünde.

Gel zaman git zaman, bu arkadaşlardan birkaçıyla tanışmıştı. Ama ayrıksız hepsinin düşündeki imgelere göre daha sıradan kişiler olduğunu anlamıştı.

Lorraine'in öyküsü ise cilt cilt uzayan bir romana dönmüştü sanki. Aylarca Christine'e üst üste mektuplar gelmişti.

"Sonunda boşanacak mı, boşanmayacak mı, merak ediyorum...

— Kocasıyla geçinemiyorlar mı?"

Daha sonra, boşanmayı kim isteyecek, Lorraine mi, kocası mı? Boşamak için kalkıp Reno'ya mı gidecekler, yoksa Virginia'da mı boşanacaklar? diye konuşmuş, tartışmışlardı karı koca. Bir gün değer kazanabilecek topraklarıyla birlikte bir evin ikisi arasında paylaşılmasının da sorunu güçleştirdiğini Spencer anımsıyordu.

Sonraları başka bir sorun çıkmıştı ortaya: Lorraine kızını yanına alabilecek miydi, alamayacak mıydı? Spencer daha ötesini düşünmeden, on yaşlarında, örgüleri sırtında salınan bir kız getirmişti gözünün önüne.

Çekişmeyi Lorraine kazanmıştı anlaşılan; kızını yanına alabilmişti.

"Kadıncağız bu kavga yüzünden bitti... Üstelik akşamdan sabaha meteliksiz kaldı. Avrupaya gitmek istiyormuş, orada akrabaları var, bir yardımları dokunabilir mi diye..."

Bu söz hemen hemen hiç şaşmadan akşam yemeğinde, soğukluk yenmeden önce açılırdı. Bu öykü boydan boya bir mevsim sürmüştü.

"Kızını okutamayacak bundan sonra. Ailesinin onu nasıl karşılayacağını bilmediği için de kızını yanına alıp ağır masraflara katlanmak istemiyor. Birkaç haftalığına Bella'nın bizde kalmasını önerdim."

İşle böylece bu ad günün birinde yaşamına girivermiş, kızıl kahverengi saçlı bir kız oluvermişti. Spencer bu kızı önemsememişti. Christine'in bir arkadaşının, hiç görmediği bir kadının kızıydı bu... Çoğu zaman Christine'le Bella kadın kadına gevezelik ederlerdi. Üstelik Bella'nın yaşı garip bir yaştı. Garip yaş derken ne demek istediğini Spencer'ın anlatması güçtü. Biraz daha küçük olsaydı çocuk sayılacaktı; biraz daha büyük olsaydı Spencer ona partilerde rastlayacak, onunla bir yetişkin kimseyle konuşur gibi konuşacaktı. Gerçekte Bella, erkek öğrencilerinin yaşça en büyüklerinin çıkmaya başladıkları kızların yaşındaydı.

Bella gelince soğuk davranmamıştı Spencer, ondan kaçmamıştı. Olsa olsa yemeklerden sonra çalışma odasına biraz daha erken inmeye başlamıştı.

Christine sorulanları yanıtlarken Spencer da, torbasındaki tütün çok kurumuş olduğundan tütün kutusunu almak üzere çalışma odasına gitmeye davrandı. Bill Ryan arkasından çağırınca irkildi.

"Nereye gidiyorsunuz dostum?"

Bu sahte neşe niyeydi sanki?

"Çalışma odamdan tütün almaya.

— Birazdan size ihtiyacım olacak...

— Hemen gidip gelirim."

Ryan'la doktor bakıştılar.

"Beni yanlış anlamanızı istemem Spencer, ama yakınımız da kalmanız iyi olurdu. Birazdan polisle uzmanlar gelecek. Bu işler nasıl yapılır bilirsiniz. Gazetelerde okumuşsunuzdur tabii... Resim çekilir, parmak izleri alınır, analizler yapılır, daha bir sürü şey... O zamana değin hiçbir şeye dokunulmaması gerekir."

Christine'e dönerek sözünü sürdürdü:

"Şu anda kızın annesinin Paris'te olduğunu, onu nerede bulabileceğinizi bildiğinizi söylüyorsunuz. Ona çekeceğimiz telgrafın metnini biraz sonra hazırlarız..."

Spencer'a döndü:

"Karınızın söylediğine göre dün gece evden hiç çıkmadınız, öyle mi?

— Öyle."

Ryan —bütün alçakların, ciğeri beş para etmezlerin yaptığı

gibi, diyordu içinden Ashby– yalancıktan art niyetsiz görünen bir gülümsemeyle konuşmak gereksinimini duyuyordu.

"Niye?

— Canım çıkmak istemiyordu da ondan.

— Ama siz briç oynarsınız.

— Oynarım ara sıra.

— Hem de iyi oyuncusunuz galiba.

— Oldukça.

— Karınız, bir turnuva yapılacağını bildirmek üzere, size Mitchell'lardan telefon etmiş dün gece.

— İşimi bitirmek üzere olduğumu, yatmaya gideceğimi söyledim ben de...

— Bu odada mı oturuyordunuz?"

Telefona bir göz attı Ryan; evde tek bir telefon olduğunu düşünüyor, Ashby'nin karşılık verirken şaşıracağını umuyordu belki de.

"Çalışma odamdaydım. Orayı aynı zaman da marangoz işliğim olarak kullanırım.

— Telefon çalınca yukarı mı çıktınız?

— Aşağıdan açtım telefonu. Orada da bir telefonum var.

— Gece boyunca bir şey duymadınız mı?

— Hiçbir şey.

— Bu odalara hiç çıkmadınız mı?

— Hayır.

— Bayan Sherman'ın eve döndüğünü görmediniz mi?

— Dönüşünü görmedim ama iyi geceler demeye geldi odama.

— Odanızda ne kadar kaldı?

— Girmedi odama.

— Efendim?

— Kapının eşiğinde duruyordu. Başımı kaldırınca onu gördüm, şaşırdım; geldiğini duymamıştım çünkü."

Kesin, kesici, handiyse arsız sayılacak bir sesle konuşuyordu; Ryan'a boyunun ölçüsünü vermek ister gibi... Konuşurken de, bile isteye, ona değil, verdiği karşılıkları önündeki kâğıda yazan sekreter kıza bakıyordu.

"Size yatacağını mı söyledi?

— Ne söylediğini bilmiyorum. Konuştu, ama tornam işlediği, sesini bastırdığı için hiçbir şey işitemedim. Ben motoru durdurmaya vakit bulamadan Bella çıkıp gitmişti.

— O saatte sinemadan mı dönüyordu dersiniz?

— Belki... Olabilir.

— Saat kaçtı?

— Hiç bilemeyeceğim."

Demin açıkça kendisinden yana çıkmış görünen Christine'in davranışını artık beğenmemeye başladığını zannetmekle Spencer yanılıyor muydu? Christine kocasının davranışını artık beğenmiyorsa, bunun nedeni, belirli birtakım durumlara duyduğu saygıdan, sözün kısası, o dillere destan "topluluk duygusundan başka bir şey olmasa gerekti. İyi papazlarla kötü papazlar üzerine konuştukları bir gün karısı papazlar konusunda epey tartışmıştı onunla. Bu kez de, Spencer'ın kuru, kaba bile denebilecek bir sesle karşılık verdiği adam, bu yörede adaleti sağlamakla görevli adamdı, coroner'dı. Coroner'ın, efendi gibi içmesini beceremeyen, ayı yapılı, Bill Ryan adında bir adam olması önemli değildi. Ashby ise bu adamın yağlı, parıldayan yüzüne gitgide artan bir sabırsızlıkla bakıyordu.

"Saatiniz yanınızda değil miydi?

— Hayır Bay Ryan. Pantolonumu değişmeye gittiğim zaman saatimi de yatak odasında bırakmıştım.

— Demek elbisenizi değişmek için yukarı çıktınız?

— Evet.

— Niye değiştiniz üstünüzü?

— Ödevleri kontrol etmeyi bitirmiştim, tornamın başına geçecektim. Torna işi insanın üstünü başını kirletir..."

Doktor Wilburn, Spencer'ın öfkelenmeye başladığını anlamıştı. Koltuğuna kaykıldıkça kaykılıyor, yüzünde, birtakım kimselerin tiyatroda takındığı türden hoşnut bir ifadeyle tavana bakıyordu.

"Bu kız, yani Bella, siz yukarı çıktığınız zaman odasında mıydı?

— Hayır, Bella eve dönmeden çıkmıştım yukarı...

— Bağışlayın, ama odasında olmadığını ne biliyorsunuz? Kızmayın Ashby. Birtakım konular tartışmaktayız. Doğruluğunuzdan, açık yürekliliğinizden bir an bile kuşku duymadım, ancak dün gece bu evde olup biten her şeyi öğrenmem gerek. Çalışma odanızdaydınız. Güzel. Ödevleri kontrol ediyordunuz. Tamam. Bu işiniz bitince elbisenizi değişmek üzere yukarı çıktınız. İşte şimdi soruyorum size: O anda Bella neredeydi?"

Az kalsın duraksamadan:

"Sinemada" diye karşılık verecekti Spencer.

Ama şimdi —belki de not tutan sekreter kızdan ötürü— içine bir kuşku giriyor, üzerine bir titizlik geliyordu. Üstünü değişmeye Bella eve dönmeden önce mi gitmişti, döndükten sonra mı? Belleğinde –sözlü sınavlarda birtakım öğrencilerin başına geldiği gibi– birden bir boşluk oluşmuştu sanki.

En doğal davranışıyla Christine söze karıştı:

"Tornası başında çalışıyor idiyse..."

Kesinlikle! Bella eve döndüğünde Spencer tornası başında çalışıyor idiyse –ki *çalışıyordu*– ayağında eski, kurşun rengi kaşe pantolonu var demekti. O halde giysisini değişmek üzere odasına gidişi kızın dönüşünden önceye rastlıyordu.

"Kendisine yardım edilmemesini rica ederim. Evet Spencer, Bella'nın size iyi geceler demeye geldiğini, yanınızda ancak pek kısa bir süre kaldığını söylüyordunuz. Aşağı yukarı ne kadar kaldı yanınızda?

— Bir dakikadan az.

— Başında şapkası, sırtında mantosu var mıydı?

— Başında koyu renkli bir bere vardı.

— Ya mantosu?

— Mantosunu anımsayamıyorum.

— Sinemadan döndüğünü düşünmüşsünüz; ama sokağa çıkacağını bildirmeye gelmiş de olabilirdi, değil mi?"

Christine yine araya girdi.

"O saatte sokağa bir daha çıkmazdı artık.

— Sinemaya kiminle gitmişti? Biliyor musunuz?

— Çok geçmeden öğreniriz.

— Sevgilisi var mıydı?

— Onunla tanıştırdığımız bütün buralı kızlarla delikanlılar onu pek severlerdi.

Christine kızmıyordu ya, konuğu olmuş bir kıza yöneltilen bu şüpheler onu üzüyor olsa gerekti.

"Özel olarak ona ilgi gösteren biri var mıydı, biliyor musunuz?

— Böyle bir şey dikkatimi çekmemişti.

— Size pek açılmazdı herhalde? Hem kızı ancak bir aydan beri tanıyordunuz. Öyle demiştiniz değil mi? Bir aydan beri diye...

— Evet ama annesi eski arkadaşımdır."

Tam Christine'e göre laflardı bunlar, bunun da bir anlamı yoktu. Bayan Moeller etekliğini çekiştiriyordu. Ashby kızın adının Bertha ya da Gaby olduğuna, her cumartesi akşamı neonla aydınlatılmış paralı dans salonlarına gidip dans ettiğine bahse girebilirdi.

Bahçe yolunda, resmi plakalı iki araba durmuştu art arda İlkinin sürücüsü Eyalet Polisi üniformalı biriydi. Arabadan sivil giyimli Teğmen Averell indi. İkinci arabadan ise sıska, orta yaşlı, yine sivil giyimli, başına modası geçmiş bir şapka geçirmiş olan bir adam inmişti. Adam, Teğmene doğru hürmetle yürümüştü. Ashby bu adamın bölge polisi şefi olduğunu bilirdi, ama adını bugüne değin öğrenmemişti.

Dışarıdakiler el sıkıştı, çizmelerinden karları silkeledi, konuştu, önce Spencer'ların sonra da Katz'ların evlerini süzdüler. Teğmen Averell pencerenin önünden hızla çekilen Bayan Katz'ın pembe biçimini görmüş olsa gerek.

Bill Ryan yeni gelenleri karşılamak üzere yerinden kalkmıştı. Doktor da ayağa kalktı. Herkes —bu arada Bayan Moeller– tokalaşıyordu.

Crestview School'da Averell adlı bir öğrenci vardı, ama Ashby'nin sınıfına geçmemişti daha, Spencer onun yalnızca adını biliyordu. Babası ise kır saçlı, pembe yüzlü, mavi gözlü, yakışıklı bir adamdı. Yüzü çekingen ya da melankolik bir adam olduğunu düşündürüyordu.

"Şöyle buyurmaz mısınız?..." diyordu Ryan.

Doktor da arkalarından gitti; Spencer'la karısı arasında yalnız sekreter kız kalmıştı. Christine Bayan Moeller'e:

"Bir kahve daha içer miydiniz? diye sordu.

— Doğrusu ya, zahmet olmazsa..."

Christine mutfağa gitti, kocası yerinde kaldı. Ryan'ın söylediklerinden sonra Spencer'ın kalkıp karısının ardından yürümesi, ona, Tanrı bilir ne gizler fısıldamaya gittiğini düşündürürdü.

"Güzel manzarası var evinizin..."

Moeller denen kadın kendini Spencer'la konuşmak zorunda sanıyordu anlaşılan; üstelik pişkin pişkin gülümsüyordu adama.

"Buralara Litchfield'dekinden çok kar yağmış galiba. Burası daha yüksek zaten..."

Spencer, Katz'ların penceresinde pembe sabahlığı bir daha gördü; bahçe yolunun alt ucunda da iki kadın, polis arabalarını uzaktan seyrediyordu.

Sıska adam odadan tek başına çıktı, kapıyı arkasından örttü, telefona doğru yürüdü.

"İzin verir misiniz?"

İşyerine telefon etti, aygıtlarını alıp gelecek adamlarına

talimatlar verdi. Christine sekreterle kendisine kahve getir-
mişti.

"Sen de ister miydin?

— Hayır, sağ ol.

— Bayan Ashby, korkarım evinizde pek rahat edemeye-
ceksiniz bugün..."

Gizli bir toplantı yapmış insanların ağırbaşlı hali, sessizli-
ğiyle polislerin hepsi Bella'nın odasından çıkınca Ashby san-
dalyesinden kalktı. Birden sinirlenmişti.

"Çalışma odama inemez miyim hâlâ?" diye sordu.

Bakıştılar. Ryan açıkladı:

"Demin, daha iyi olur diye düşünerek birtakım şeylerden
kaçınmanın...

— Bay Ashby, şu çalışma odanızı bana göstermek iyiliğin-
de bulunur musunuz?"

Averell'di bu; büyük bir incelik, hatta tatlılıkla konuşu-
yordu. Şimdi, Bella'nın bir gece önce durduğu yerde, üç ba-
samağın tepesinde durmuş, odaya bir dedektif gibi değil de,
gecelerini geçirmek üzere böyle bir odası olmasını isteyen bir
adam haliyle bakıyordu.

"Şu tornayı bir dakika işletir misiniz?"

Soruşturmanın bir bölümüydü bu da. Torna gürülderken
Averell konuşuyordu; dudaklarının oynadığı görülüyordu...
Biraz sonra tornanın durdurulmasını eliyle istedi.

"Torna işlerken herhangi bir şey işitmek olanaksız, bes-
belli."

Oturup gevezelik etmek, tornayı uzun uzun ellemek,
Spencer'ın tornada yaptığı eşyaya dokunmak, kitaplara bak-

mak, bu kadar rahat gözüken eski meşin koltuğu belki de denemek... Bunu isterdi doğrusu...

"Yukarı çıkmam gerek, işimiz var... Siz bir şey bilmiyorsunuz değil mi?

— Onu son gördüğüm zaman eşikte, şimdi sizin durduğunuz yerde duruyordu; bana ne söyledi bilmiyorum, ancak son sözlerini kestirebildim, "iyi geceler" diyordu...

— Bütün gece dikkatinizi çeken bir şey olmadı mı?

— Olmadı.

— Sokak kapısını kilitlemiş olduğunuzu sanırım..."

Düşünmek zorunda kaldı.

"Galiba, Evet. Tamam, tamam... Karım telefonda anahtarını yanına almış olduğunu söylemişti, anımsadım şimdi..."

Teğmenin ciddiyeti Spencer'ı şaşırttı.

Kaygıyla.

"Kapıdan mı girdiler demek istiyorsunuz?" diye sordu.

Bu soruyu sormakla, yanlış bir iş yapmıştı. Böyle şeyler soruşturma yapılırken gizli kalmalıydı herhalde. Spencer bunu Averell'ın duruşundan anladı. Bununla birlikte Teğmen başını, bir doğrulama işareti sayılabilecek biçimde, belli belirsiz salladı.

Gitti. Ashby nedenini kesinlikle kavramaksızın, çalışma odasında yalnız başına, kalmayı yeğlemişti; gitti, kapısını örttü, ama beş dakika geçmeden pişman oldu.

Oturma odasından onu kimse uzaklaştırmamıştı ki... Kendi isteğiyle buraya çekilmişti. Ama burada durduğu zaman da olup bitenden haberi olamazdı; ancak ayak tıkırtılarını, gidiş gelişleri işitiyordu... Avluda en az iki araba durmuş;

sadece biri uzaklaşmıştı.

Çocuklar gibi somurtup köşeye çekilmesinin nedeni neydi öyle?

Daha sonra –emindi– yalnız kaldıkları zaman –ama ne zaman yalnız kalacaklardı ki yine?– Christine tatlılıkla, onu kınamaksızın, çok alıngan olduğunu, boş yere üzüldüğünü, Ryan'ın olsun, ötekilerin olsun ancak görevlerini yaptıklarını anlatacaktı kocasına.

Bella'nın cesedini bulduğu zaman kendisinin de Spencer'dan şüphelendiğini, bu şüphe yüzünden önce Doktor Wilburn'e telefon ettiğini çekinmeden sözlerine ekleyebilecek miydi?

Saatten haberi yoktu yine; cebinden saatini çıkarıp bakmayı da aklına getirmiyordu; belki de, çalışma odasında oturrurken ayağında çoğu zaman kurşun rengi kaşe pantolonu olmasına alışmıştı da ondan... Her akşam iki bardak doldurup içtiği scotch şişesi dolaptaydı; içinden, biraz içsem mi diye geçirdi. Ama odada bardak yoktu, ayyaşlar gibi şişeyi ağzına dayayıp içmek ise iğrendiriyordu onu; ayrıca saat onbire daha gelmemiş olsa gerekti, onbirden önceyse taş çatlasa içki içilmezdi Spencer'a göre.

Hem içip de ne olacaktı sanki? Güç, küçültücü bir an geçirmişti, bu anı unutması daha iyi olurdu; yıllarca Bruce'un gülümseyişini unutmaya çalışmış olduğu gibi... Acımasızcaydı, olmuştu bu, kendiliğinden... Suçu yoktu bunda. O anda gizli bir haz da duymuş değildi. Doktor bunu bilmiyor muydu sanki? Bütün erkekler için böyle olmaz mıydı bu?

Bella'yı düşünürken hiçbir zaman kötülük gelmemişti

aklına. Bacaklarına bir kez olsun demin sekreter kızın bacaklarına baktığı gibi bakmamıştı; Bella'nın bacakları nasıldı diye sorsalar karşılık veremezdi.

Kızıyordu Bayan Moeller'e; dikkati çekmek için yaptığı manevralardan, utanma numaralarından ötürü kızıyordu ona. Böyle kadınları küçümserdi Spencer, Ryan gibilerini küçümsediği gibi. Aslında, birbirlerine pek yakışıyorlardı.

Döşeme tahtaları üzerinde eşya sürüklüyorlardı sanki. Sankisi ne? Besbelli, bir ipucu bulmak umuduyla eşyayı bir yerden bir yere çekiyorlardı. Bulacaklar mıydı bu ipuçlarını? Ne çeşit ipuçları arıyorlardı? Neyi anlayabilmek için?

Demin Teğmen ona sormuş, demişti ki...

Nasıl da hemen farkına varmamıştı? Konu, sokak kapısını kilitleyip kilitlemediğiydi. Oysa Christine gece eve döndüğü zaman herhangi bir aykırılığa rastlamamıştı. Rastlamış olsaydı ona söylemeden yatmazdı. Demek kapı kilitliydi. Kapıyı kilitlemiş olduğuna emin gibiydi şimdi.

Budalaca bir şeydi bu, ama ancak şimdi birdenbire farkına varıyordu: Bella'yı kendisi öldürmediğine göre eve biri girmiş olmalıydı. Hem farkına varmadığı şey sadece bu değildi.

Aklı neredeydi şimdiye dek?

Yalın, acımasızca, apaçık bir olgu vardı ortada: Bu iş evinde, çatısı altında, ondan birkaç metre ötede olup bitmişti. Uykuda iken yapıldıysa, kendisiyle Bella'nın odası arasında ancak iki bölme vardı.

En çok şaşıp kaldığı şey bir yabancının kilidi zorlaması ya da pencereden içeri atlaması değildi.

Evde üç kişiydiler. Gerçi Bella ancak bir aydan beri yanlarında kalıyordu, ama böyle olması evde üç kişinin yaşadığı olgusunu değiştirmiyordu. Christine'in yüzüne o kadar alışmıştı ki, artık bu yüze dikkat bile etmiyordu. Ne ki, Bella'nın yüzüne de daha çok dikkat göstermemişti.

Herkesi tanıyorlardı. Sadece onlar gibi olanların çevresini değil, aşağı mahallede oturan aileleri, kireç ocağının işçilerini, yapı şirketinin işçilerini, ev hizmeti gören kadınları tanıyorlardı.

Christine'in dediği gibi, bütün bu insanlar gerçekten bir topluluk oluşturuyorlardı; bu sözcük de, olup bitenlerden ötürü ancak bu sabah kafasına dank ediyordu.

Çünkü biri, buraya, kendi evine, Bella'ya saldırmayı, onu belki de öldürmeyi önceden tasarlayarak gelmişti.

Bunu düşünmek bir ürperti salıyordu içine. Sanki bu, ona şahsen yöneltilmiş bir kötülüktü, sanki kendisi ne olduğunu kestiremediği bir tehlike karşısında kalıyordu.

Bu işi yapanın bir serseri, buralara tamamıyla yabancı biri, bambaşka biri olduğuna kendini inandırmak isterdi, ama olacak şey değildi bu. Aralık ayında, yollar karla kaplıyken, yabanda yazıda dolaşacak serseri mi vardır? Hem bu serseri tam da o evde, o odada bir kız olduğunu nereden bilebilirdi? Gürültü çıkarmadan nasıl girebilirdi içeri?

Korkunç bir şeydi bu. Yukarı kattakiler bütün bunları düşünmüş, aralarında tartışmış olsalar gerekti.

Bella'nın arkasına düşen, sinemadan sonra ardını bırakmayan biri diyelim... Ona da kapıyı ancak Bella açmış olabilirdi. Akıl alacak bir şey değildi bu. Böylesi kıza sokakta saldırırdı; başka insanların da bulunabileceği, ışıkları yanan bir eve girmesini bekleyecek değildi ya kızın...

Yabancı bir adam Bella'nın odasında tek başına yattığını nasıl bilebilirdi?

Kolu kanadı kırılmıştı. Birden bütün güvenini yitirmişti. Bastığı yer sallanıyordu sanki.

Bu işi yapan Bella'yı, evi muhakkak tanıyor, biliyordu, Başka türlü olmazdı ki... Demek Bella'yı öldüren, topluluğun bir üyesiydi; tanıdıkları, gülüşüp konuştukları, evlerine gelip gitmiş olması gereken biri.

Ayakta duramadı, oturdu.

Bir arkadaş, yakın bir dost demekti bu, öyle değil mi?

Peki! Buyur ettiği insanlardan birinin böyle bir iş yapmış olacağını, güçlükle de olsa kabul edebiliyorsa, başkaları neden düşünemesindi...

Bütün sabah budalalar gibi davranmıştı. Sorduğu sorulardan ötürü Ryan'a sinirlenmişti, ama Coroner'ın bu soruları belli bir amaçla, önceden kalıplanmış bir düşünceyle sorduğu gelmemişti aklına.

Bu işi biri yaptığına göre...

Kaçamak yolu yoktu bunun: neden o olmasındı?

Yeni gelenlerin her biri odaya götürüldüğü zaman, konuşulan buydu herhalde. Sonra da oturma odasına geliyor, onu gizlice süzüyorlardı.

Gerçekte Christine bile öbürleri gibi düşünebilirdi, niye düşünmesindi?

Bütün bu işler insanın gönlünü bulandırıyordu biraz. Hele Doktor Wilburn'ün garip gülümseyişi...

Belki de yanılıyordu, belki de şüphe edilmiyordu ondan,

belki de şüphe edilmemesi için sağlam nedenler vardı orta-
da... Bilmiyordu ama. Ona kesin bir şey söylenmemişti hiç.
Elbette ortada birtakım ipuçları olmalıydı...

Teğmen Averell'in aşağı inerlerken kendisine biraz yakın-
lık duyar gibi bakmış olduğunu düşünmekle yanılıyor muy-
du? Averell'ı daha iyi tanımadığına yeriniyordu. Dost oluna-
bilecek bir adama benziyordu. Gerçi bulmuş oldukları şeyler
üzerine ona bilgi vermemişti; ama susmak onun için bir mes-
lek gereği değil miydi?

Bir başka nokta daha vardı: Katil olduğundan gerçekten
şüphe edilse, Bayan Moeller —Christine kahve yaparken—
onunla baş başa oturur, kardan, yükseklikten söz açar mıydı?

Yukarıda karısının gösterdiği rahatlığa imreniyordu. Her-
kesin rahatlığına, bir şey yokmuş gibi davranışına imreniyor-
du. Dipteki odadan çıkarlarken ciddi, düşünceli bir halleri
vardı, ama özellikle sarsıldıkları hiç söylenemezdi. Olabilecek
şeylerle olmayacak şeylerin tartışmasını yapıyorlardı herhalde.

Bu adamların, bir yabancının eve girdiğini, kafasında kan-
lı bir düşünceyle Bella'ya yaklaştığını onun gibi duyup kafala-
rında canlandırmadıklarına Ashby kalıbını basardı.

Tırnaklarını kemirdiğinin farkına vardı. Bir ses onu çağı-
rıyordu:

"Gelebilirsin Spencer."

Kendi isteğiyle kalkıp çekilmiş değilmiş de başkaları uzak-
laşmasını istemiş gibi konuşmuyorlar mıydı?

"Ne var?"

Yine yanlarına geldiği için çok sevinmiş görünmek istemi-
yordu.

"Bay Ryan gidiyor. Gitmeden önce sana bir iki soru daha sormak istiyormuş."

Önce, Doktor Wilburn'ün artık odada bulunmadığına dikkat etti. Cenaze hazırlıkları yapılmak üzere cesedi götürmek için geldiklerini çok daha sonra öğrendi; kendisi oturma odasına girdiği sırada doktor, cenaze levazımatçısının orada otopsi yapmaktaymış!

Teğmen Averell'ı da görmedi. Bölge polisinin ufak tefek şefi ise elinde bir fincan kahve, köşenin birinde oturuyordu.

Spencer'ın bacaklarını unutmasından korkar gibi, Bayan Moeller etekliğini çekiştiriyordu yine.

"Oturun Bay Ashby..."

Christine kaygılı gibi, mutfak kapısının yanında ayakta duruyordu.

Bill Ryan, onu adıyla çağırmaktan niye vazgeçmiş, soyadıyla çağırıyordu?

III

Egzozundan ak bir buğu salarak uzaklaşan otomobile bakan karı koca pencerenin önünde ayaktaydı; sadece bir koltukla bir sehpa vardı aralarında. Bu kez Ashby'nin saatten haberi vardı. Biri yirmi falan geçiyordu. En sona kalan Ryan'la sekreteri de gidiyorlardı işte; evde Spencer'la Christine'den başka kimse kalmamıştı.

Göz göze geldiler; ama uzatmadan, dik dik bakmadan... Tek başlarına kalınca birbirlerine daha da saygılı, edepli davranıyorlardı. Spencer Christine'den memnundu, onunla bayağı övünüyordu bile... Öte yandan, davranışıyla karısını üzmemiş olduğunu hissediyordu içinden.

— Ne yemek istersin? Söylemek gereksiz, çarşıya falan çıkamadım.

Yemek sözünü bilerek açmıştı Christine. Hakkı da vardı. Böyle konuşmakla havaya gündelik yaşayışın yakınlığını, sıcaklığını –bir parça olsun– getiriyordu. Ryan'ın koca koca purolarından birinin izmaritini bıraktığı tablayı gidip dökmesi de boşuna değildi. Evlerinde duymaya alışkın olmadıkları bir kokuydu bu. Ryan durmadan puro içmişti; purosunu ara sıra keyifle seyretmek üzere ağzından çektiği zaman da, çiğnenmiş, cıvık cıvık olmuş ucunu görmek her ikisinin gönlünü bulandırmıştı.

"Bir et konservesi açayım mı?

— Doğrusu, canım sardalya isterdi; ya da yine soğuk yenecek herhangi bir şey...

— Salata yapayım mı?

— Eh, istersen..."

Neden sonra içinde büyük bir yorgunluk duyuyordu. Aldanıyordu belki, ama ölüm tehlikesi atlatmış gibi bir duygu vardı yüreğinde.

İşler bitmemişti elbette! Bu adamların her birini yine göreceklerdi herhalde; aydınlanması gerekecek başka noktalar çıkacaktı ortaya... Olsun! Ryan'ın sorgusundan yüzünün akıyla çıkmış olmak huzur verici değil miydi? Her ikisi de birbirlerine bu konuda bir şey söylemedikleri halde böyle düşünmüyorlar mıydı?

Demin, onu içeri çağırdıklarında, Christine'in mutfak kapısını örtmesi onu biraz üzmüştü gerçi; oturma odasına girdiği anda Christine'in çıkmasına akıl erdirememişti; ama sonra Bill Ryan'ın yüzüne bakınca, Christine'in Ryan'ın buyruğuna uyduğunu anlamıştı.

Bu ayrıntı bile Ryan'la yaptığı konuşmaya yeni bir ışık tutuyor, bunu bir konuşma olmaktan çıkarıyordu. "Bay Ashby" diye onurlandırılması da öyle bir şey getiriyordu ya aklına... Ryan sorgularda savcıların kullandıkları bütün numaraları bile bile yapmış, kimi zaman mendilini cebinden çıkararak açıp yaydıktan sonra burnuna götürmüş, kimi zaman da –önemli bir ipucu yakalamış, üzerinde enine boyuna düşünüyormuşçasına– büyük bir ciddiyetle purosunu çekiştirmiş durmuştu. Ara sıra bir göz attığı Bayan Moeller ona yetecek de artacak bir seyirciydi, ama bölge polisi şefinin odada bulunması yeteneklerini gösterme isteğini kamçılıyordu herhalde.

"Demin bize söylediklerinizi sekreterimin size okumasını isteyeceğim şimdi. Söylediklerinizi anımsadığınızı, geri almayacağınızı sanırım. Dün akşam öğrencilerinizin ödevlerini kontrol etmek üzere çalışma odanıza indiniz; sırtınızda şimdi de giydiğiniz şu kahverengi takımınız vardı."

Ashby'nin yanında giysi sözü edilmemişti daha. Demek bu nokta üzerinde bilgiyi veren karısıydı.

"İşiniz bittikten sonra yukarı çıktınız, odanıza girdiniz, üstünüzü değiştirdiniz. Ayağınıza giydiğiniz pantolon bu muydu?"

Spencer'ın başı üzerinden bakan Ryan polis şefine:

"Bay Holloway, lütfen... demişti.

Bay Holloway bir mahkeme kâtibi gibi, pantolonla gömleği elinde tutarak yanlarına gelmişti.

"Bunları tanıyor musunuz?

— Evet.

— Demek bunları giyerek aşağı indiniz; Bayan Sherman eve döndüğü zaman sırtınızda bunlar vardı...

— Bayan Sherman'ı odanın kapısında gördüğüm zaman ayağımda bu pantolon, sırtımda bu gömlek vardı...

— Gidebilirsiniz Bay Holloway."

Aralarında bir şeyler konuşmuş, kararlaştırmış olmalılardı, çünkü polis şefi yerine dönüp oturacağına sırtına yağmurluğunu geçirmiş, kalın, yün örgü eldivenlerini giymiş, demin Ashby'ye gösterdikleri giysileri koltuğuna sıkıştırıp kapıya doğru yürümüştü.

"Aklınıza bir şey gelmesin Bay Ashby. Her zaman yapılan işlemdir bu. Şimdi sizden istediğim iyice düşünmeniz, her şeyi anımsamaya çalışmanız, önünü ardını tartmanız, sonra da elinizi kalbinize, vicdanınıza koyarak soracaklarıma karşılık vermenizdir; elbette şimdi söyleyeceklerinizi yeniden, ant içerek söylemeniz isteneceğini de unutmayacaksınız..."

Adam bu tümcesini pek beğenmişti besbelli; Spencer ise gözlerini yana çevirmişti, sekreter kızın ak bacaklarını buluvermişti karşısında.

"Dün gece herhangi bir saatte, bize demin saydığınız yerlerden —yani çalışma odanızdan, yatak odanızdan, banyodan, mutfaktan, nasıl olsa buradan geçmeniz gerekeceğine göre de bu oturma odasından— başka bir yere girmediğinizi iyi biliyor musunuz?

— Biliyorum."

Ama böyle sorular karşısında kalınca, bildiğinden gerçekten bu kadar emin olup olmadığını şaşıracak hale geliyordu.

"Düşünmeniz için size vakit bırakmamı ister misiniz?

— Boşuna zaman geçirmiş oluruz.

— O halde anlatır mısınız bana Bay Ashby, Bayan Sherman'ın odasına değilse bile banyosuna girmiş olduğunuzun elle tutulur bir kanıtını biz nasıl olur da buluruz? Burası eviniz olduğuna göre benim anımsatmam gereksiz olacak, bu banyoya ancak Bayan Sherman'ın odasından geçilerek girilir. Sizi dinliyorum."

O anda gerçekten çevresinden bir yardım gelmesini beklemiş, Christine'in alıştığı biraz kanlıca yüzünü görmeyi dilemişti. Ryan'ın Christine'i niye uzaklaştırmak istediğini anla-

mıştı. Bu adamlar ondan –düşündüğünden de çok– şüphele-
niyorlardı.

Alnını silerek:

"Odasına girmedim, diye mırıldandı.

— Banyosuna da mı girmediniz?

— Banyosuna da, haydi haydi, giremezdim.

— Üstelediğim için özür dilerim ama, tam tersini düşün-
mem için pek sağlam nedenler var.

— Ben de özür dilerim ama, o odaya girmemiş olduğumu
yinelemek zorundayım."

Sesini yükseltiyordu; daha da yükselteceğini, belki de
kendini artık tutamayacağını hissediyordu. Christine'i bir da-
ha aklından geçirmişti sonra, kendini yine toparlayabilmişti.
O aşağılık Ryan –onu artık aşağılık bir herif diye görüyordu–
koruyucu bir tavır takınmıştı.

"Sizin gibi bir adamla konuşurken Ashby, oturup uzun
uzun açıklamalara girişmem gereksiz olur. Uzmanlar geldi.
Banyonun bir köşesinde, iki çininin arasında genişçe bir ara-
lık olan yerde talaş izleri buldular; gerek işliğinizde, gerek ka-
şe pantolonunuzun üzerinde görülen talaş tozunun, görünüşe
göre, aynısı olan bir talaş tozu... Böyle olup olmadığını artık
yapılacak analiz doğrulayacaktır...

Ryan susmuş, purosunu dikkatle gözden geçiriyor gibi bir
tavır takınmıştı. İşte o zaman Ashby gerçekten dayanılmaz bir
beş dakika geçirmişti. Aslına bakılırsa korku falan duyduğu
yoktu. Suçsuz olduğunu biliyor, bunu kanıtlayabileceğinden
küşüm etmiyordu. Ama Coroner'a hemen karşılık vermek ge-
rekiyordu; sorunun çözümünü hemen bulmak önemliydi,

pek önemliydi.

Bir sorun vardı çünkü ortada. Uyurgezerin biri değildi Spencer. Gerek akşam, gerek gece Bella'nın odasına girmemişti, bunu pek iyi biliyordu.

"Belki de, diyeceksiniz, size iyi geceler demeye geldiği zaman, tornanın savurduğu tahta tozları üzerine yapışmıştı... Teğmen Averell demin arkanızdan işliğinize geldi, dün akşam Bayan Sherman'ın durduğu yerde durdu, tornayı işletmenizi istedi. Yukarı çıktığı zaman üzerinde toz falan yoktu."

Averell'ın böyle davranmış olması Spencer'ı umut kırıklığına uğratmıştı; Ryan'ın dost olabileceği bir insandan kendisini soğutmak için bu masalı isteyerek, bilerek, kendi kafasınca düzdüğünden şüphelenmişti.

"Hâlâ anımsayamadınız mı?

— Hayır.

— İstediğiniz kadar düşünebilirsiniz."

Ashby pencerenin yanındaki koltukta oturuyordu; düşünüp dururken gözlerini kaldıracak oldu bir ara. Karşıdaki evin penceresinde pembe sabahlığı bir daha gördü; bu kez pembe sabahlık göze görünmekten kaçınmıyordu. Tersine, bir yüz hafifçe eğildi, kapkara iki göz ona uzun uzun baktı.

Bu işe şaştı Ashby. Şimdiye dek böyle bir şey görülmemişti hiç. Ashby ile karısı Katz'larla görüşmezlerdi. Oysa Spencer'a sorulsa, kadın bu bakışıyla sanki bir şeyler söylemek istemiş, ona bir şeyler anlatmak için belli belirsiz bir harekete girişmişti, buna kalıbını basabilirdi.

Aldanmış olsa gerekti. İçinde bulunduğu gerginlik yüzünden kendisine öyle gelmişti herhalde. Ryan sanki karşısındakini üzmek için, bir spor yarışmasındaymışçasına cebinden saatini çıkarmış, avucunda tutmuştu.

"Sizi uyarmalıydım, unuttum, Bay Ashby; tanık da olsanız, sanık da olsanız, yanınızda bir vekil bulunmadıkça sorularıma karşılık vermek zorunda değilsiniz.

— Şu anda neyim ben?

— Tanık."

İğrenerek gülümsemiş, Katz'ların penceresine bir daha bakmış, sonra da, dışarıdan yardım beklemekten utanmış gibi, yerini değiştirmişti.

"Anımsadınız mı?

— Hayır.

— Genç kızın banyosuna girmiş olduğunuzu kabul ediyor musunuz?

— Girmedim.

— Bir açıklama yolu düşünebiliyor musunuz?"

Birden gülecek gibi oldu, kötü bir yengi gülüşüyle gülecek gibi... Çünkü tam aramaktan vazgeçeceği anda Ryan'ın istediği açıklamayı bulmuştu; öyle de saçma bir şeydi ki bu!

"Bella'nın banyosuna dün gece değil, önceki gece girdim. Ayağımda da kaşe pantolonum vardı, çünkü karım gelip havlu çubuğunun yine düştüğünü anımsattığı sırada torna başında çalışıyordum."

Neden sonra buz gibi bir ter kaplamıştı her yanını.

"Şimdiye dek iki üç kez yuvasından çıkmıştır o çubuk. Ben de avadanlığımı alıp çıktım, yerine yerleştirdim onu.

— Kanıtlayabilir misiniz öyle olduğunu?

— Karıma sorarsanız..."

Ryan tuhaf tuhaf mutfak kapısına bir göz atmakla yetindi. Ashby bu bakışın anlamını anladı, kendini yine kasmak zorunda kaldı. Bu bakış, konuştuklarını Christine'in işitmiş olabileceği, kocasını yalanlamayacağı anlamını taşıyordu. Coroner ayrıca yasa uyarınca Christine'in kocasına karşı tanıklık etmeye hakkı olmadığını da söyleyebilirdi.

Bir sorunun çözümünün dilinin ucuna geldiğini duyan bir öğrenci sabırsızlığıyla yerinden kalkan Ashby:

"Bir dakika, dedi. Bugün günlerden ne? Çarşamba mı?"

Odayı arşınlıyordu.

"Aldanmıyorsam Bayan Sturgis çarşamba günleri Clark'larda çalışır.

— Efendim?

— Bizim gündelikçi kadın demek istiyorum. Bize haftada iki gün, pazartesi günü, bir de cuma günü gelir. Ben önceki gece, yani pazartesi gecesi onarmıştım havlu çubuğunu. Bayan Sturgis, o çubuğun yerinden çıkmış olduğunu gündüzden fark etmiş olsa gerek."

Telefonu açmış, Clark'ların numarasını çevirmişti.

"Sizi rahatsız ettiğim için özür dilerim Bayan Clark. Eliza sizde mi? Çok zahmet olacak ama, bir dakika telefona çağırabilir miydiniz onu?"

Almacı Ryan'a uzatmış, o da alıp konuşmak zorunda kalmıştı. Telefonu kapadığı zaman Ryan, Bella'nın banyosu üzerine artık bir şey söylemedi. Bozguna uğramış görünmemek için, âdet yerini bulsun diye birkaç soru daha sordu. Örneğin, Ashby yatmadan önce kızın kapısı altından ışık sızıp sızmadığına nasıl olmuş da dikkat etmemişti? Oturma odası ile aralığın ışığını söndürdüğünde, yatak odasının ışığını daha yakmamış olduğuna göre, en hafif ışığın bile dikkatini çekmesi gerekmez miydi? Hem gerçekten, evde hiçbir gürültü duymamış mıydı? Sahi, kaç bardak viski içmişti?

"İki."

Bu viski sorusunun arkasında yine bir şeyler gizleniyor olmalıydı.

"Sadece iki tane içtiğinizi iyi biliyor musunuz? Karınızın eve döndüğünü, yanınıza yattığını duymayacak ölçüde ağır bir uykuya dalmak için iki tane içmek yetiyor mu size?

— Hiç içmesem karımın dönüp yattığını yine de duymayabilirdim.

Doğruydu. Bir kez uykuya daldı mı ancak sabaha uyanırdı.

— Hangi viskiden içersiniz?"

Spencer içtiği viskinin markasını söyledi. Ryan şişesini çalışma odasından gidip getirmesini rica etti.

"Ya! Demek her zaman şu yarım litrelik yassı şişelerden alırsınız...

— Çoğu zaman bundan alırım."

Eski bir alışkanlıktı bu; herhalde yarım litrelik bir şişeden çoğuna parası yetmediği zamanlardan kalma bir huy.

"Bayan Sherman scotch mu içerdi?"

Bayan Sherman deyip durmaları Spencer'ın canını sıkıyordu; Spencer için bu kız hep Bella'ydı, her Bayan Sherman deyişlerinde yabancı bir ad duymuş gibi irkiliyordu.

"Yanımdayken içtiğini hiç görmedim.

— Onunla birlikte hiç içki içmediniz mi?

— Elbette içmedim.

— Ne çalışma odanızda, ne onun odasında..."

Koltuğun yanına, halının üzerine bırakılmış deri çantadan Ryan, Ashby'nin hâlâ elinde duran şişenin markasını taşıyan yassı bir şişe çıkardı.

"Uyanık bir insansınız tabii, bu şişeyi –dün kullanıldığı gibi– kullanmış olsaydınız, parmak izlerini silmeyi unutmazdınız herhalde, öyle değil mi?

— Anlayamadım.

— Bu şişeyi Miss Sherman'ın yatak odasında, cesedin az ötesinde, bir koltuğun arkasında bulduk. Görebileceğiniz gibi, şişe boş. İçindeki viski yere dökülmüş değil, içilmiş. Odada bardak yoktu. Banyodaki diş fırçası bardağı da kullanılmamış...

— Acaba o mu?..."

İnanamıyordu; ona "hayır" diye karşılık verilmesini bekliyordu, sanki...

"Şişeden, doğrudan doğruya içtiğini kabul etmek zorundayız. Demek su katılmamış viski içmiş. Birkaç dakika sonra, midesinde ne kadar içki bulunduğunu öğreneceğiz. Zaten, ağzından gelen kokudan, epey içmiş olduğu anlaşılıyordu. Odanıza uğradığı zaman farkına varmamış mıydınız?

— Hayır.

— Ağzı kokmuyor muydu?"

Ryan'ın soru sorarken attığı her taşın hesabını Spencer tutmaya kalksa bu işin sonu gelmezdi. Böyle davranması garipti Ryan'ın, herkes ondan iyilikle söz ederdi, çoğu insan

onu cana yakın bulurdu; Ashby'ye kin beslemesi için de her-
hangi bir neden yoktu, çünkü Spencer onun canını şu ya da
bu yolda sıkabilecek biri değildi.

"Ağzını koklamadım.

— Bakışını da mı garip bulmadınız?

— Hayır."

En iyisi kuru bir sesle, yoruma sapmadan karşılık ver-
mekti.

"Sizinle konuştukları sarhoş olduğunu düşündürmedi mi
hiç?

— Hayır.

— Ne söylediğini işittiniz mi?

— Hayır.

— Evet öyle demiştiniz galiba. Demek çalıştığınız, işinize
dalmış olduğunuz için, normal halinde olmasa da farkına va-
ramayacaktınız herhalde, öyle mi?

— Öyle olsa gerek. Ama içmiş olduğuna yine de inanmı-
yorum."

Neden böyle demişti sanki? O kadar da inanmıyor değildi
doğrusu. Ancak o zamana değin aklına böyle bir şey gelme-
mişti, o kadar. Şimdi daha çok Christine'e –Christine'den do-
layı da arkadaşlarına– duyduğu bir çeşit bağlılık yüzünden
savunuyordu Bella'yı... Yüzünün solgunluğuna; kızın üzgün,
endişeli ya da hasta bir hali olduğuna dikkat etmemiş miydi?

"Size soracağım başka bir şey yok şimdilik dostum; hem
size karşı hıncım olduğunu sakın düşünmeyin, çok üzülü-
rüm. Nedir ki, yirmi üç yıldır –bu ay tam yirmi üç yıl olu-
yor– bu çeşit bir cinayetle karşılaşmadık bu yörede. Epey sö-

zü edilecek demektir bu... Birazdan gazeteci beyler kapınızı çalabilirler; beni dinlerseniz onları elinizden geldiğince iyi karşılayın. Bilirim onları. İçlerinde kötülük yoktur, ama onlara bilgi vermekte isteksiz davranılırsa..."

Telefon çalmaya başlayınca, Ashby daha yaklaşmaya vakit bulmadan Ryan elini uzatmıştı. Aramalarını bekliyordu herhalde, çünkü telefonu koltuğunun yanına almıştı.

"Alo!... Evet... Benim... Evet..."

Bayan Moeller eteğini çekiştiriyor, Ashby'ye gülümsüyordu; ona karşı bir kötü duygu beslemediğini anlatmak, bu sorguyu bu kadar kolaylıkla atlatmış olduğu için onu belki de kutlamak istermiş gibi...

"Evet... Evet... Anlıyorum... Bu size aksini ispatlama olanağı veriyor... Hayır! Durum ilk anda düşündüğüme tıpatıp uymuyor doğrusu... Tuhaf... Evet... Doğruladım onu...En azından bu iş çok önceden, inceden inceye hazırlanmış ola..."

Söylemek istediklerini, Ashby'nin anlamasına meydan vermeden söylemeye çalıştığı belli oluyordu.

"Birazdan konuşuruz. Ben Litchfield'e dönmek zorundayım, bekliyorlar beni... Evet, sizin gelmeniz daha iyi olur sanırım... Evet... Evet... (Hafifçe gülümsüyordu). Yapmak zorundayız... Ben anlatırım ona..."

Telefonu kapayınca bir puro daha yakmıştı.

"Bir işlem daha kalıyor, birazdan o da yapılacak, sizden buna katlanmanızı rica edeceğim. Alınmayın. Wilburn oradaki işini bitirir bitirmez kendi gelip size bakacak; muayene iki dakika bile sürmez."

Ryan ayaktaydı, Bayan Moeller de öyle... Yerde ağzı açık

kalmış çantaya doğru yürüyordu kız.

"Konuyu size açmakta herhangi bir sakınca görmüyorum. Anlaşıldığı kadarıyla Bayan Sherman kendini savunmuş...

Tırnaklarının altında biraz kan bulmuşlar, ona ait olmayan bir kan... Katilin bir yahut birkaç yerinde hafif sıyrıklar, bereler kalmış olsa gerek..."

Çok iyi bildiği bir evdeymiş gibi, gitmiş mutfak kapısını açmıştı.

"Gelebilirsiniz Bayan Ashby. Sahi size de bir soru sorayım bari..."

Sorusunu keyifli keyifli, şaka eder gibi, kendini affettirmek ister gibi sormuştu.

"Kocanızı Bayan Sherman'ın odasında en son ne zaman gördünüz?"

Zavallı Christine! Sapsarı kesilmiş, soran gözlerle bir Ryan'a, bir Spencer'a bakmıştı.

"Bilmiyorum... Bir dakika...

— Yeter! Artık düşünmeyin. Ufacık bir sınamaydı bu. Bana hemen pazartesi gecesi diye karşılık vermiş olsaydınız, kocanızla bu konuda anlaştığınızı ya da kapı arkalarında konuştuklarımızı dinlediğinizi düşünecektim.

— Ama gerçekten pazartesi gecesiydi, çünkü...

— Biliyorum, havlu çubuğu yerinden çıkmıştı! Teşekkür ederim Bayan Ashby. Görüşürüz Spencer. Hazır mısınız Bayan Moeller?"

İşte böyle! İlk sınavdan başarıyla geçmişti. Öbür sınavlara girmeden önce karı koca bir parça yorgunluk çıkarabilirlerdi. Christine evin daha bir süre eski durumuna dönemeyeceğini biliyormuşçasına, sofrayı yemek odasında değil, mutfakta kurmuştu. Böylece o gün olağanüstülüğünü sürdürüyordu.

"Doktor niye gelecekmiş bir daha?

— Wilburn, Bella'nın tırnakları altında kan izleri bulmuş. İşin doğrusunu anlamak için beni..."

Christine'in bu sözler karşısında duygusuz kalmadığını anladı. Şimdiye dek söylenenlerden daha dolambaçsız, sözlerdi bunlar, üstelik ilk olarak insanın gözünün önüne birtakım şeyler getirebilecek türden sözlerdi, Az kalsın Spencer elini yavaşça karısının omuzuna götürecek, hafif bir sesle soracaktı:

"Suçsuz olduğuma hâlâ inanıyorsun, değil mi?"

Öyle olduğunu biliyordu. Bu ona olanların ardından bir teşekkür etme biçimiydi. Karısı Spencer'ı öyle sık sık heyecanlandırmazdı. Birbirlerine büyük sevgi gösterilerinde bulundukları hemen hemen hiç görülmezdi. Çok iyi arkadaştılar demek daha doğru olurdu; şimdi de Spencer bir arkadaşına teşekkür eder gibi teşekkür etmek istiyordu karısına.

Christine gerektiği gibi davranmıştı, Spencer ondan memnundu. Sofraya otururken karısına bakıp gülümsedi; öyle çok şeyler anlatan bir gülümseme değildi bu, ama Christine kocasının ne demek istediğini anlayacaktı.

Belki de, arkalarından, evdeki yaşayışlarıyla alay eden kimseler vardı... Hiç değilse evlendikleri sırada, –bu evlenmeyi kimsecikler beklemediği için– bir sürü insan epey çene yormuş olsa gerekti dedikodularını ederek. On yıl olmuştu evleneli. O zaman Spencer otuz, Christine otuz iki yaşındaydı. Christine annesiyle oturuyordu o zamanlar, evleneceğinden umudu kesmişti herkes.

Spencer'ın, Christine'in gönlünü çelmeye çalıştığını kimse görmemişti; bir kez olsun dansa gitmemişlerdi; sadece Crestview School'da görüşüp konuşmuşlardı, o kadar. Babasının ölümünden sonra Christine, okulun *yönetim kurulu üyesi* olmuştu. Spencer'la Christine ancak futbol, beyzbol alanlarında, okulca düzenlenen yemekli kır gezintilerinde görüşürlerdi.

Onlar da uzun süre evlenecek kişiler olmadıklarına inanmışlardı. Christine'le annesinin paraları vardı. Ashby, tepedeki yeşil damlı bungalovda kalır, her yaz, tek başına Florida, Meksika, Küba ya da başka bir yere gidip gezerdi.

Bu iş nasıl olmuşsa olmuştu işte. Her ikisi de, onlara kararlarını verdiren şeyin ne olduğunu anlatamazdı. Christine'in kanserli, evde yeni bir insan görmeye dayanamayacak olan annesinin ölümünü beklemişler de ondan sonra birbirlerine evlenme sözü etmişlerdi. Aynı odada yatmaya, birbirlerinin gözü önünde soyunmaya alışmış mıydılar gerçekten?

Christine:

"Bana öyle geliyor ki, Teğmen Averell yakında bizi yine görmeye gelir, dedi.

— Bana da öyle geliyor.

— Kızkardeşiyle okul arkadaşıydık. Sharon'dan onlar..."

Hep öyle olurdu aralarında... Herkes gibi, bir heyecan duydukları olurdu; o zaman aralarında incecik, gevrek, kırılgan diye nitelenebilecek bir sevecenlik akımı oluşur, bu duygudan utanırmışçasına, hemen tanıdıklardan, satın almaları gereken öteberiden söz açarlardı.

Böyle yaparlardı, ama birbirlerini iyi anlarlar, böyle yaptıkları için de sevinirlerdi. Spencer demin penceresinde duran Bayan Katz'a bakarken duyduğu şeyi Christine'e anlatıp anlatmayacağını düşünüyordu. Hâlâ şaşıyordu bu işe; Bayan Katz'ın, ona gerçekten bir şey bildirmek isteyip istemediğini kestiremiyordu.

Bir şeyler bildirmek istemesi garip olurdu doğrusu; sadece bir çimenliğin ayırdığı öbür evdekilerle görüşüp konuşmazlardı çünkü. Bir kez bile konuşmamışlardı komşularıyla. Selamlaşmazlardı da. Katz'ların bir suçu yoktu ya bunda, Ashby'lerin de –hiç değilse doğrudan doğruya– suçları yoktu.

Kısacası, Ashby'ler oranın yerlilerindendi, Katz'lar ise başka bir soydandı. Buralara gelip yerleşmek öylelerinin aklından bile geçmezdi yirmi yıl önceleri. Şimdi ise bunlardan birçok aile yerleşmişti buralarda; ama hâlâ pek rahat değillerdi; çoğu New York'luydu, ancak yazın görünürlerdi ortalıkta, evlerini göllerin çevresinde yaptırırlar, kocaman kocaman arabalar kullanırlardı.

Gencecik Bayan Katz kışı evinde hemen hemen tek başına geçiren pek az kimseden biriydi. Pek gençti; düzgün yüzü, hafif çekik kocaman gözleriyle Doğuluları çok andıran bir hali vardı; öyle ki, o koca evde gidip gelişleri, hizmetine bakan iki kadınla birlikte kalışı, insanın aklına Doğu haremlerinin havasını getiriyordu.

Karısından otuz yaş büyük olan Katz tıknazdı, çok şişmandı; öyle şişmandı ki bacaklarını aça aça yürürdü her zaman; kadın ayağına benzeyen ayaklarına her zaman cilalı deri ayakkabı giyerdi.

Belki de kıskançlığındandı karısını öyle taşralarda kapalı tutması... Ucuz takı alım satımıyla uğraşırdı, firmasının hemen her yerde şubeleri vardı. Üniformalı bir sürücünün kullandığı siyah Cadillac'ının geldiği görülürdü; birkaç gün her akşam evine döner, sonra bir iki haftalığına görünmez olurdu yine.

Ashby'ler bunların sözünü hiç etmezlerdi, evlerine yakın tek ev olan bu yapıya bakmıyormuş gibi davranır, orada oturan tazecik kadını bilmezlikten gelirlerdi. Ama eninde sonunda, ister istemez bunlar kadının, kadın da bunların en önemsiz davranışlarını bile bilir duruma geliyordu.

Bayan Katz, penceresinin ardında, sokaktaki çocuklara katılıp oyun oynamak için can atan bir çocuğa benzerdi ara sıra... Vakit geçirmek için günde beş altı kez üstünü değiştiği olurdu, ama onu beğenecek kimsecikler yoktu ki yanında...

Yoksa giysilerini Spencer'a mı göstermek istiyordu? Kimi akşamlar, konser piyanisti duruşlarıyla piyanosunun önüne oturması, onun için değil miydi?

"Ryan, gazetecilerin geleceğini söyledi...

— Ben de bekliyorum onları. Yemeyecek misin daha?"

Çevrelerinde bir boşluk kalmıştı sanki. Ne yaparlarsa yapsınlar, evde değişmiş bir şey vardı; göz göze gelmekten sakınmaları bir rastlantı değildi pek, mütevazılıklarından ötürü değildi sadece...

Bu da geçecekti. Geçirilen sarsıntının büyüklüğünün daha kavranmadığı anı yaşıyorlardı; düştükten hemen sonra kırığın, çürüğün farkına varılmadığı gibi... Kalkılır, hiçbir şey olmamış sanılır, ama ertesi gün...

"Wilburn'ün arabası bu!

— Ben açarım, bana geliyor."

Sesinde bir acılık belli etmemesi elinden gelecek şey miydi? Az önce Bella'nın cesedine otopsi yapan doktorun karşısında tedirginlik duymamak elden gelir miydi? Wilburn'ün elleri, uzun uzun sabunlanmaktan, tırnaklarının altı fırçalanmaktan hâlâ bembeyaz, hâlâ buz gibiydi.

"Ryan size haber vermiş olsa gerek... Doğru odanıza gideyim mi?"

Hastaya bakmaya gider gibi, takımını yanında taşıyordu. Doktorun üst dudağında sarı bir leke gören Ashby, onun, bir ölü üzerinde çalışırken mikroplara karşı sigara üstüne sigara içtiğini anlatmış olduğunu anımsadı.

Bella'yı nasıl düşünmesindi? Onu düşününce gözünün önüne kesin birtakım imgeler geliyordu; kovmak isterdi bu imgeleri, hele soyunmak, Wilburn'ün alaycı gözleri önünde, gün ışığında çırılçıplak soyunmak gereken şu anda...

Doktor, topu topu on dakika önce, kızın cesedi üzerinde çalışıyordu. Şimdi de...

"Çizik, bere, bir şey yok ya?"

Buz gibi parmaklarını, Ashby'nin derisi üzerinde gezdiriyor, duralıyor, yine gezdiriyordu.

"Açın ağzınızı. Biraz daha. Tamam! Arkanızı dönün..."

Ashby ağlayabilirdi. Demin Ryan onu handiyse açıkça suçladığı zaman bile yerin dibine geçtiğini hissetmemişti böylesine...

"Bu yara izi nedir?

— En aşağı on beş yıllık bir iz.

— Hiç gözüme çarpmamış şimdiye dek... Yanık mı?

— Kamptayken bir gaz ocağı patlamıştı da...

— Giyinebilirsiniz. Bir şey bulamadım tabii.

— Peki, ya bir yerimde bir çizik olsaydı, hani... Bu sabah tıraş olurken bir yerimi kesseydim?

— Kanınızın aynı gruptan olup olmadığını analiz gösterirdi.

— Ya analizde de...

— Korkmayın, yine de asmazlardı sizi. Bu iş sizin düşündüğünüzden de çok daha karışık; bu çeşit cinayetleri öyle sıradan adamlar işlemez çünkü..."

Çantasını eline aldı, önemli bir gizi açığa vuracakmış gibi ağzını açtı, sonunda şunu söylemekle yetindi:

"Pek yakında yeni haberler çıkar sanırım..."

Duraksadı.

"Bu kızı pek az tanıyordunuz anlaşılan...

— Şöyle böyle bir aydan beri bizde kalıyordu.

— Karınız onu tanır mıydı?

— Daha önce hiç görmemişti."

Bu konuyu içinden tartışır gibi başını sallıyordu doktor.

— Herhalde, dikkatinizi çekecek bir şey olmadı hiç...

— Viskiyi mi söylemek istiyorsunuz?

— Ryan size söyledi mi bunu? Şişenin üçte birinden çoğunu içmiş... Hem içkiyi ağzına döktükleri yahut zorla, hileyle içirdikleri de düşünülebilecek gibi değil...

— İçtiğini hiç görmemiştik."

Bundan sonraki sorusunu tuhaf bir davranışla, üstünde dura dura sorarken, ancak erkek erkeğe görüşülecek bir konuymuşçasına, sesini adamakıllı kısan doktorun gözlerinde alaycı bir ışıltı parlıyordu.

"*Şahsen* sizin dikkatinizi çeken bir şey oldu mu kızın davranışlarında?"

Neden Ashby'nin aklına Vermont'taki o aşağılık fotoğraf, Bruce'un gülümseyişi geliyordu? Yaşlı doktor da bir itiraf – Tanrı bilir nasıl bir itiraf– bekler, bir suç ortaklığı –Tanrı bilir ne çeşit bir suç ortaklığı– olsun ister gibiydi?

"Anlamıyor musunuz?

— Anladığımı sanmıyorum."

Wilburn buna inanmıyor, yine de daha ileri gitmekten çekinmiyordu. Sıkıcı bir durumdu bu.

"Sizin gözünüzde bu kızı öbür kızlardan ayıran bir şey yoktu, öyle mi?

— Öyle diyelim isterseniz. Karımın bir arkadaşının kızıydı, o kadar.

— Size içini açmaya kalkmadı mı hiç?

— Açmadı elbet.

— Siz ona bir şeyler sormaya kalkmadınız mı?

— Hayır.

— Karınız evde yokken, çalışma odanıza gelip sizi bulmaya kalkmaz mıydı?"

Ashby'nin sesi gitgide sertleşiyordu.

"Hayır.

— Önünüzde soyunduğu da olmadı mı?

— Olmadığına inanmanızı rica ederim.

— Kızacak bir şey yok bunda. Size teşekkür ederim. Size inanırım da. Üstelik bunlar beni ilgilendirmez..."

Çıkarken Wilburn, buzdolabının kapısını kapamakta olan Christine'e selam vererek eğildi. Christine'i adıyla çağırırdı. Çocukluğundan beri tanırdı onu. Doğumunda bile annesinin yanında o bulunmuş olsa gerekti.

"Kocanı sapasağlam teslim ediyorum sana."

Christine de bu çeşit şakalardan hoşlanmazdı. Sonunda kapıdan çıkarken yüzü gülen tek kimse Wilburn'dü.

Ama doktor, belki bilerek belki bilmeyerek getirmiş olduğu, tedirginlik tohumu gibi bir şey bırakıyordu sanki arkasında.

Öyle olduğu şundan belliydi: Ashby doktorun sorduğu birtakım soruların ardında nelerin gizlendiğini merak etmeye başlamıştı bile. Anlayacak gibi oluyor, sonra da yanıldığına kanaat getiriyordu. Christine'e açılacak gibi oluyor, ama hemen susuyor, kabuğuna çekiliyor, sonuç olarak da, o zamana değin aklına bile gelmemiş olan birtakım sorunlara, dikkatini başka bir şeye çeviremeyecek ölçüde dalıyordu.

IV

Radyonun haber verdiği tipi başlamadığı gibi kar da dinmişti; ama sabaha dek zorlu bir yel esmişti. Yataklarına yatalı bir saati geçiyordu, belki de bir buçuk saat olmuştu; Spencer gürültü çıkarmadan kalkmış, banyoya girmişti. İlaç dolabını dikkatle açtığı sırada, odanın karanlığı içinde karısının yataktan gelen sesini duymuştu. Christine soruyordu:

"Bir şeyin mi var?

— Bir fenobarbital alacağım da..."[2]

Christine'in sesinden, konuşmasından onun da uyuyamamış olduğunu anlamıştı. Dışarıdan eşit aralıklarla işitilen bir ses geliyordu; insanın kafasını bozan bir ritimle evin duvarına çarpan bir şey vardı. Ne olduğunu kestirmeye çalışıyor, bir türlü anlayamıyordu.

Ancak sabah olunca, çamaşır iplerinden birinin kırılmış olduğunu, buz tutup katılaştığını, pencerelerinin yanında bir yere, verandanın direklerinden birine çarpıp durduğunu anladı. Yel yatışmıştı. Akşam yağan karı cam gibi, çıtırdayan bir katman kaplamıştı, sular her yanda donmuştu; kum kamyonları gelip kumlarını dökmemişti daha, kaygan yolun üzerinde arabaların ağır ağır ilerlediği görülüyordu yukarıdan.

---

[2] *Fenobarbital:* Sinirleri yatıştırmak ve uykuyu harekete geçirmek için kullanılan, en yaygın barbitürat ilaçlarından biri.

Her zamanki gibi kahvaltı etmiş, yağmurluğunu sırtına geçirmiş, eldivenlerini, şapkasını, lastiklerini giymiş, sonra da çantasını almıştı eline. Kapının yanında ayakta dururken Christine yaklaşmış, elini —biraz acemice— uzatmıştı.

"Görürsün bak, birkaç güne kalmaz herkes unutur bunları!"

Karısına bir gülümsemeyle teşekkür etmişti; ama Christine kocasını yanlış anlıyordu. Sokağa çıkacağı anda Spencer'ı sıkan şey, birtakım insanlarla —sözgelişi, yokuşun altında dikilip duran şu bir öbek adamla— karşılaşmak düşüncesidir sanıyordu; ona dikilecek gözler, sorulacak ya da sorulmayacak sorular... Akşam saat dokuzda bile Christine'e telefon eden birtakım arkadaşları çıkmıştı. Şimdi de sabah ayazında, polislerin bir eve girdikleri görülüyordu yeniden.

Ama Spencer'ı bütün gece tedirgin eden şey, başkalarının ne deyip ne düşüneceklerinin tasası değildi, çamaşır ipinin direğe çarpması da değildi; bir imgeydi sadece... Christine bunu nasıl bilebilirdi? Bu imge belirgin, bütün çizgileri belli bir imge bile değildi. Gözünün önüne her gelişinde de aynı kalmıyor, değişiyordu. Gerçi uyuyamamıştı, ama kafası da büsbütün ayık, aydınlık değildi, algıları biraz karışıyordu... Bu imgenin temelinde Bella vardı; odasının kapısını açtıklarında onu yerde yatar gördüğü zamanki gibi görüyor, tanıyordu. Ama gözünün önüne ara sıra, o anda seçmeye vakit bulamadığı birtakım ayrıntılar geliyordu; demek, kendisinin kattığı ayrıntılardı bunlar, Bruce'un gösterdiği fotoğraftan alınma ayrıntılar...

Gözü açık gördüğü bu karabasana Doktor Wilburn de katılıyordu; doktorun yüzüne ara sıra Vermont'lu eski arkadaşının, çocukluk arkadaşının, yüzündeki anlatım geliyordu.

Utanıyor, bu imgeleri gözünün önünden kovmaya bakıyor, bu yüzden de bütün dikkatini, düşüncelerini dışarıdan gelen ses üzerinde toplamaya çalışıyor, gürültünün nedenini kestirmeye uğraşıyordu.

"Pek yorgun değilsin ya?" diye sormuştu karısı.

Yüzü solgundu, biliyordu. Üzgündü de; çünkü demin gün ışığında, oturma odasında bile, lastiklerini ayağına geçirmek için bir sandalyeye ilişirken o imge gözünün önüne bir daha gelmişti. Hemen sonra da gözlerini Katz'ların penceresine doğru kaldırmıştı; niye acaba? Bu davranış, bilinçdışı bir çağrışımın varlığını mı gösteriyordu?

Dün gece Bayan Katz gerçekten bir şey anlatmak istemiş miydi? İsteyip istemediği birazdan öğrenileccekti; çünkü polis şefinin karşıki eve gidip oradakilerle görüştüğünü gazetecilere söylememiş olması düşünülemezdi. Gelip ifadesini almaları için kadın mı telefon etmişti? Yoksa Holloway kendiliğinden mi karar verip kadını görmeye gitmişti? Ashby bilmiyordu bunu. Ancak bir gün önce, ortalığın hâlâ biraz aydınlık olduğu saat dört sularında, ufak tefek polisin arabasından inip eve doğru yürüdüğünü görmüştü.

"Gördün mü Spencer?

— Evet."

İkisi de, aydınlık pencereleri gözetlemekten kaçınmıştı, ama bu ziyaretin yarım saatten çok sürdüğünü biliyorlardı. İşte o anda Paris'ten bir telegraf almışlardı; Lorraine çılgına dönmüş, ilk uçakla yola çıkacağını bildiriyordu.

Katz'ların perdeleri kapalıydı hâlâ. Ashby arabasını garajdan çıkardı, kaygan yolda manevrasını ağır ağır yaptı, ana yola çıkmak için biraz beklemek zorunda kaldı; oraya toplanmış birkaç kişinin gözlerini ona dikişleri onu hiç tedirgin etmiyordu. Az buçuk tanıdığı insanlardı bunlar; her sabah yaptığı gibi, elini sallayarak selamladı onları.

Camlar buğulanmış olduğu için silecekleri çalıştırması gerekti. Gazetecinin orada, bu saatte, hemen hemen hiç kimse yoktu. Her zaman aynı yerde, bir köşesine kalemle adı yazılmış olan bir *New York Times* bulurdu; ama bu sabah az ötedeki iki desteden bir Hartford gazetesiyle bir Waterbury gazetesi de aldı.

"Vah vah Bay Ashby! Kim bilir canınız nasıl sıkılmıştır bu işe!"

Karşısındakinin gönlünü hoş etmek için evet diye yanıtladı bu sözleri. Hartford gazetesindeki yazıyı o şişman gazeteci yazmış olmalıydı; donuk, orta yaşlı, kendini trenlerle bar tezgâhlarında eskitmiş gibi duran, Amerika'nın hemen hemen her şehrinde çalışmış, bu yüzden de nereye gitse yabancılık çekmeyen bir adamdı bu. Eve daha girer girmez Christine'i irkiltmişti: Şapkasını başından çıkarmamış, onu "Hanımcığım" diye çağırmıştı... Yoksa "Hanımefendiciğim" mi demişti? Her neyse... İzin istemeden, evi bir baştan bir başa —satın alacakmışçasına başını sallayıp durarak, notlar alarak, Bella'nın odasında dolaplarla çekmeceleri açarak, Christine'in düzeltmeyi unutmadığı yatağı açıp bozarak— dolaşmıştı.

Neden sonra oturma odasının koltuğuna çöktüğünde, Ashby'ye bir şey ister, bir şey sorar gibi bakmış, anlamamış gibi durduğunu görünce de, eliyle, susadığını açıkça anlatmıştı.

Bir saat içinde, bir yandan şişenin üçte birini boşaltmış, bir yandan da durmadan sorular sorup bir şeyler yazmıştı. İnsan bütün gazeteyi kendi yazısıyla doldurmaya niyetlendiğini sanabilirdi. Waterbury'li meslektaşı kapıya dayandığı zaman da, koruyucu bir hal takınarak:

"Bu adamcağızlara şu hikâyeyi bir daha anlattırma artık, yorgun düşmüşlerdir. Ben sana bir şeyler veririm. Git beni polis merkezinde bekle, demişti.

— Ya fotoğraflar?

— Peki, hemen çekelim."

Gazetenin birinci sayfasında üç fotoğraf vardı: Evin dışarıdan görünüşü, Bella'nın resmi, odasının resmi... Bunu konuşmuşlardı zaten. Ama iç sayfaların birinde, Ashby'yi çalışma odasında gösteren –muhabirin yok etmeye söz verdiği– bir resim vardı. Spencer'ın tornanın nasıl işlediğini anlattığı sırada, habersizce çekilmişti bu resim... Eşik üzerinde, önceki gece Bella'nın ayakta durmuş olduğu yeri gösteren bir çarpı vardı.

Gazete satıcısı Spencer'dan gözünü ayırmıyordu; sanki bir gün içinde Spencer bambaşka bir adam oluvermişti. Gazetelerini almak üzere bir an girip çıkan iki müşteri de ona meraklı gözlerle bakmışlardı.

Mektup beklemediği için postaneye gitmedi, arabasına bindi, ırmağı geçtikten sonra yolun kıyısında durdu. Gerçekten okula bir kez vardıktan sonra okumaya vakit bulamayacaktı. Ryan'ı olsun, Teğmen Averell ya da Holloway'i olsun, bir gün önceki görüşmelerinden sonra bir daha görmemişti... Gerçi Holloway bir ara evlerinin önünde durdurduğu arabasından inmişti, ama öbür eve girmişti.

Gerçekte karısı da o da, sabahki kaynaşmadan çok bu durgunluktan tedirgin olmuşlardı. Gazeteciler de gelmeseydi akşama değin yalnız kalacaklar, akşamın geç saatlerinde bile pencerelerin önünden geçen, ayakları karı çıtırdatan meraklıları görüp işiteceklerdi sadece...

Hiçbir şey bilmemek insanın elini kolunu bağlıyordu. Christine'in arkadaşları telefon edip duruyorlardı; ama onlar da bir şey bilmiyor, ancak birtakım sorular sormak için açıyorlardı telefonu. Bu sorulara karşılık veremedikleri için Christine de, Spencer da sıkılıyorlardı.

Sanki herkes, onların bir kenarda kalmasını istiyordu. Resmi sayılabilecek tek telefon konuşmasını, Virginia'daki Sherman'ların adresini sormak için telefon açan Bayan Moeller'le —yani Ryan'ın sekreteriyle— yapmışlardı.

"Evlerinde kimseyi bulamazsınız. Size söylemiştim zaten, Lorraine Paris'te. Yarın buraya gelecek...

— Biliyorum, ama adresini yine de almam gerek."

Otomobilin içi soğuktu; sileceklerin sürekli tıkırtısı Spencer'a, geceleyin direğe vuran çamaşır ipini anımsatıyordu. Yazı uzundu. Hepsini okumaya vakti yoktu. Okula tam saatinde yetişmek istiyordu. Bu yüzden, yazının ona yeni bir şeyler öğretecek yerlerini arıyordu sadece.

"Bu çeşit olaylarda alışılmış olduğu üzere, şüpheler önce sabıkası olan kimseler üzerinde toplandı. Bu nedenle öğle vaktinden hemen sonra, polis, son yıllarda ahlaka aykırı işlere adı karışmış iki kişiyi sorguya çekti. Bunlar buralı kimselerdir. Cinayet gecesi ne yaptıkları inceden inceye araştırılıp soruşturuldu. Bu soruşturmadan sonra ikisi de, şüpheleri üzerlerinden atmış gibidirler."

Ashby şaşırmıştı. Yörede cinsellik yüzünden cinayetler işlendiğini hiç duymamıştı şimdiye dek. Girip çıktıkları evlerin hiçbirinde bir kez olsun böyle bir şeyden söz açılmamıştı. Bu iki adamın kim olabileceklerini, ne yapmış olduklarını merak etti.

"Zaten pek az konuşmakla yetinen, söyledikleri de açıkça anlaşılamayan Doktor Wilburn'e göre ortaya umulmadık şeyler de çıkabilir; dava, sıradan bir cinsel sapığın artık söz konusu olamayacağı, bambaşka bir hâl alabilir.

Spencer kaşlarını çatıyor, yine onu işaret ediyorlarmış gibi tedirgin edici bir duyguya kapılıyor, doktorun iğrenç gülümseyişini, yırtıcı bir alayla pırıldayan gözlerini görür gibi oluyordu.

"Doktor Wilburn bu cinayet konusunda ne düşündüğünü ya da neler bulduğunu anlatacak yerde dikkatimizi garip birkaç nokta üzerine çekti; sözgelişi, bu çeşit cinayetlerde, katilin bıraktığı izleri silmeye özen göstermesinin pek seyrek görüldüğünü söyledi; bu suçu işleyen adamın eve hiçbir zorlama olmaksızın girmiş olması üzerinde durdu. Daha da garip olanı..."

Geç kalmak korkusuyla birkaç satır atladı. Böyle, eviyle Crestview arasında, bir çeşit *no man's land*'de,[3] her iki yanda-

---

[3] *İng.* cepheler arasındaki arazi.

kilerin bakışlarından kaçmaya uğraşırmışcasına durmaktan biraz utanç duyuyordu.

Öğrenmeye asıl can attığı şeyleri herhalde gazete yazmayacaktı. Yazının başında bilmece gibi iki satır vardı:

"Öldürülen kızın boğulmadan önce herhangi bir saldırıya uğramadığı kesinlikle anlaşılmış gibidir; çünkü boğazı üzerindeki çürükler dışında, gövdesinde herhangi bir iz bulunmadı."

Bu şeyleri bu kadar kesinlikle düşünmemek, gözünün önüne getirmemek isterdi. Christine'le bile konuşmamışlardı bunları. İkindi boyunca da, akşam saatlerinde de konuşmalarına kulak verseniz, bu cinayetin herhangi bir nedeni olmaksızın işlendiğini sanırdınız.

Oysa şimdi, boğulmadan önce Bella'nın saldırıya uğramadığını ileri sürüyorlardı. Saldırı derken gazete, cinsel bir saldırıyı anlatmak istiyorduysa, yazının başka bir yerinde geçen *üst üste saldırı* sözleriyle çelişkiye düşülmüyor muydu?

Bu muydu kafasını yoran şey? O sütunu bitirmeden sayfayı çevirdi, Bayan Katz'ın adının geçtiği bir alt başlığı okudu, böylece Bayan Katz'ın adının Sheila olduğunu öğrendi.

"İkindi üzeri gönüllü olarak verilen bir ifade kovuşturma alanının sınırlarını çizebilecek özellikler taşımaktadır. Katilin kapı ya da pencerelerde herhangi bir zorlama izi bırakmadan eve nasıl girebildiği merak ediliyordu. Oysa Bella Sherman'ın sinemadan (?) dönüşünde ev sahibi Spencer Ashby'nin çalışma odasına indiği, sağ görüldüğü en son yer olan bu odada da ancak pek kısa bir süre kaldığı bilinmekteydi.

"Ancak bu nokta artık gerçeğe tamamıyla uygun değildir. Evi Ashby'lerin evinin karşısında bulunan Bayan Sheila Katz akşam saat dokuz buçuğa doğru dinlenmek, çalışmasına bir parça ara vermek üzere piyanosunun başından kalkınca, avlunun yetersiz aydınlığında ancak seçilebilen iki karaltı görmüştür. Genç kızı yabancı olmadığı için tanıyabilmiş, onunla konuşan oldukça uzun boylu adama pek dikkat etmemiştir.

"Çok geçmeden Bella Sherman çantasından çıkardığı bir anahtarla kapıyı açıp eve girmiştir. Adamsa uzaklaşıp gidecek yerde yolun ortasında dikilip kalmıştır.

"İki üç dakika sonra kapı yeniden açılmıştır. Bella Sherman dışarı çıkmamıştır. Gerçekten Bayan Katz kızı bir daha görmüş değildir. Ancak kapıdan uzanan bir kolun delikanlıya bir şey uzattığını, delikanlının da hemen oradan ayrıldığını görmüştür.

"Bu uzatılan şeyin evin anahtarı olduğu düşünülemez mi acaba?

"Öte yandan Bayan Ashby de, bir ay kadar önce evlerine geldiği gün kıza evin bir anahtarını verdiğini söylemiştir. Oysa bu anahtar Bella'nın ne odasında, ne çantasında, ne de giysilerinde bulunabilmiştir.

"Polis, akşamın geç saatlerine dek kimi kentli, kimi de çevre köylerden birtakım delikanlıları sorguya çekmiştir. Gazeteyi baskıya verdiğimiz şu ana değin, kızı sinemada ya da başka yerde gördüğünü söyleyen kimse çıkmamıştır."

Bir korna sesi suçüstü yakalanmışçasına yüreğini hoplattı Spencer'ın. Kornayı çalan Whitaker'dı, öğrencilerinden birinin babası... Arabasıyla okul yokuşundan aşağı iniyor, elini sallıyordu. Spencer buna sevindi; yakınlık gösteren, alışılagelmiş bir davranıştı bu; hiçbir şey olmamıştı sanki. Ama şimdi Whitaker öğretmeni yolun kıyısında, arabasının içinde tek başına otururken gördüğünü gidip anlatmayacak mıydı şuna buna?

Yokuşu çıktı; yine bir üzüntü vardı içinde, donuk bir üzüntü, belli bir nedeni, bir gücü olmayan bir üzüntü, biri onu bile bile kırmış, üzmüş gibi... Bu yolun tek bir ağacı bile ona yabancı değildi; yıllarca –bekârlar topluluğunun bir üyesi olarak– kaldığı yeşil damlı ev ise daha da bildik, daha da dost yüzlüydü.

Onun zamanındaki bekârlardan ancak bir tanesi kalmıştı Crestview'da; çünkü öğretmenlerin durumu da öğrencilerin durumuna benzer. Küçükler, birinci sınıftakiler, yavaş yavaş büyük olur, son sınıfa gelir. O zamanki bekâr arkadaşları – bir Latince öğretmeni dışında– hep evlenmişlerdi. Çoğu da şimdi kolejlerde ders veriyordu. Her yıl küçük sınıflara yeni çocuklar gelmesi gibi öğretmenler arasında da yeniler vardı şimdi. Bunlar, Spencer'ı yaşlıca bir adam olarak gördüklerinden adıyla çağırmadan önce bir duraksıyorlardı.

Arabasını garaja bıraktı, kapının önündeki merdivenden çıktı, lastik çizmeleriyle yağmurluğunu çıkardı. Bayan Cole'un oda kapısı her zaman açık dururdu; Spencer'ın geldiğini gören sekreter kız yerinden heyecanla fırladı.

"Ben de, gelip gelmeyeceğinizi öğrenmek için demin evinize telefon ettim."

Spencer'ı yine okulda gördüğü için besbelli seviniyor, gülümsüyordu. Ama niye öyle bakıyordu ki? Hani çok ağır bir hastalıktan yeni kalkan birine, insanın kendisini alamayıp bir tuhaf bakışı gibi...

"Bay Boehme pek sevinecek, bütün öğretmenler de öyle..."

Camlı kapının ardında bir koridor uzayıp gidiyordu; bu saatte öğrenciler burada silkinip üstünü başını düzeltir, sınıfa girmeye hazırlanırdı. Okulun her yanını kaplayan bir koku vardı: Bir sütlü kahve ile kurutma kâğıdı kokusu. Bütün yaşamı boyunca bu kokuyu koklamıştı Spencer, çocukluğunun gerçek kokusu buydu.

"Siz ne diyorsunuz bu işe? Buralı bir adam mı işlemiştir cinayeti?"

Kadın, bir gece öncesi Spencer'ın gösterdiği tepkiyi biraz daha yalın bir biçimde gösteriyordu. Bu cinayet gazetelerde rastlayıp okudukları, hiçbir gerçekliği olmayan cinayetlerden değildi. Kentlerinde işlenmişti; bu akla sığmaz sapıklığın suçlusu kentlerinde yaşayan, tanıdıkları, yaşayışlarına karışan biriydi.

"Bilmiyorum Bayan Cole. Adamların ağzından söz çıkmıyor...

— Bu sabah New York radyosu cinayeti kısaca haber verdi."

Çantası koltuğunda camlı kapıdan geçti, gözlerini karşıya dikip sınıfına doğru yürüdü. Onu en çok korkutanlar öğrencileriydi yine de; belki de Bruce'un gülümseyişini unutamadığı için... Çocukların onu açıkça süzmekten çekindiklerini, konuşmalarını sürdürüyormuş gibi yaparak yanlarından geçmesini beklediklerini duyuyor, anlıyordu. Çocuklar heyecanlıydı, ama besbelli birçoğunun boğazını bir el sıkıyor gibi olmalıydı...

Spencer'ın suçsuz olduğunu gösteren kesin bir kanıt yoktu çünkü. Katil bulunup suçunu itiraf etmedikçe Spencer'ın suçsuzluğu kesinlik kazanmayacaktı. Katil ele geçse bile kuşku duyacak kimseler çıkacaktı yine. Ama kuşku duyulmasa bile kendisi, üzerinden bir lekeyi silip atamamış gibi olacaktı, öyle geliyordu ona.

Dün sabah sorguya çekilirken Ryan'a içerlemişti doğrusu. Coroner bayağı, kaba bir adamdı. Ashby, Ryan'ı densiz bulmuş, ondan yaşamının sonuna dek tiksineceğini düşünmüştü. Oysa şimdi onu unutmuş gibiydi. Gerçekte Ryan, Spencer'ı saldırganlığıyla şaşırtmıştı; daha doğrusu Spencer'ın herkesten beklediği dayanışmayı ona göstermemekle onu umut kırıklığına uğratmıştı.

Buna karşılık Doktor Wilburn onu derinden, bile bile üzmüş, kırmıştı. Şimdi bile otuz beş öğrencisinin karşısında otururken, Bella'nın o unutmak istediği imgesi, odasındaki, Spencer'ın şaşırıp elinin ayağının dolaşmasını bekler gibi bir davranışla oda kapısını araladıklarında yerde yatar gördüğü Bella'nın durumu gözünün önünden gitmiyorsa doktorun yüzündendi...

O ara, Christine de şüphelenmişti Spencer'dan... Yüzlerini ona doğru çevirmiş bakan bu ergen çocukların kaçı Bella'yı onun öldürmüş olduğuna inanıyordu kim bilir?

"Adams, Fenikelilerin ticaret etkinliği üzerine bildiklerinizi anlatın bize..."

Sıraların arasında ağır ağır dolaşıyordu, ellerini arkasında kavuşturmuştu; bütün yaşamını okulda geçirdiği üzerine şimdiye dek hiç kimse durup düşünmemiş olsa gerekti. Önceleri elbette öğrenci olarak girmişti okula. Sonra da, arada gerçek bir geçiş dönemi olmadan, öğretmen sanıyla okulda kalmıştı. Öyle ki, yeşil damlı evden Christine'le evlenmek üzere çıktığı zaman yemekhanelerin, yatakhanelerin havasından ilk kez ayrılmış oluyordu.

"Larson, Adams yanlış bir şey söyledi şimdi, yanlışını düzeltin...

— Özür dilerim efendim, dinlemiyordum.

— Jennings...

— Şey... Ben de dinlemiyordum efendim.

— Taylor..."

Öğle yemeğine eve gitmezdi, çünkü her öğretmenin yemekhanede başkanlık ettiği bir sofra vardı. Derslere on buçukta verilen kısa arada öğretmen arkadaşlarıyla biraz konuşmuştu, ama kimse cinayetten söz açmamıştı. Ryan'larla Wilburn'ler dışında insanlar ona incelikle davranmaya çalışıyor gibiydiler. Müdür Bay Boehme'yi ancak uzaktan, bir odadan başka bir odaya geçtiği sırada görmüştü.

Tam yemekhaneye gidecekken Bayan Cole yanına yaklaştı, besbelli biraz sıkılarak:

"Bay Boehme sizi odasına rica ediyor, dedi."

Spencer kaşlarını çatmadı. Böyle bir şey bekliyordu sanki, bundan böyle her türlü şeyi bekleyen bir hali var gibiydi. Girdi, müdürü selamladı, ayakta durup bekledi.

"Çok güç bir durumdayım Ashby; işimin biraz kolaylaşmasına yardım etmenizi rica edeceğim...

— Anlıyorum efendim.

— Dün bile iki üç kez kaygılı seslerle telefon edildi bana. Bu sabah ise New York radyosu sizin şu işten söz açmış...

Sizin şu işten ..." demişti!

"...sabahtan bu yana, üç saatten az bir süre içinde, yirmi kez telefon edildi. Hem bugünkü sesler dünküne göre, epey değişik... Anaların babaların çoğu bu işte herhangi bir suçunuz olmadığını anlıyora benziyorlar. Ancak çocuklar bu işle kafalarını ne kadar az yorarsa o kadar iyi olacak diye düşünüyorlar; siz de herhalde öyle düşünürsünüz. Burada bulunuşunuz ancak...

— Evet efendim.

— Birkaç gün sonra, soruşturma bittiği, heyecan da yatıştığı zaman...

— Evet efendim."

Bunu kimseye açmadı, ama o anda, tam o anda, ağladı. Öyle iri iri gözyaşları dökerek, hıçkıra hıçkıra değil... Gözlerinde artan bir sıcaklık duydu sadece; bir nemlenme, göz kapaklarında bir batma... Ama Ashby'nin yüreklendirici gülümsemesi karşısında Bay Boehme bunun farkına hiç varmadı.

"Bana haber vermenizi bekleyeceğim. Özür dilerim efendim.

— Sizin bir suçunuz yok ki... Güle güle..."

Bu kısacık sahne müdürün düşündüğünden, düşünebileceğinden çok daha önemliydi; Ashby'nin önceden düşündüğünden bile önemli... Ryan'ın ettiği lakırdılara dayanmıştı. Doktorun söylediği sözler bile, kişisel bir iş olmaktan çıkmıyordu, ancak kendisini ilgilendiren sözlerdi onlar, handiyse aralarında kalacak şeyler...

Ama şimdi bu sözler okul adına söyleniyordu. Birine içini açabilse, dökebilse, neler neler söylemeyecekti Spencer... Hayır! Hiçbir şey söylemeyecekti. Böyle şeyler kabul edilmez. Böyle şeyleri akla getirmekten kaçınılır. Christine'le evliydi. Yaşayışını Christine'le birlikte kurmuş olması bekleniyordu ondan. Ama örneğin, Bella ona iyi geceler demeye geldiği sıra tornada tahta yontuyordu. İşliği adını verdiği odada... Ya bu işlik neye benziyordu ki? Yeşil damlı bungalovda döşeyip düzenlediği işliğe... Eski meşin koltuk o işlikte dururdu zaten. Tornada çalışma alışkanlığına gelince, bunu da öğrencilerin işliğinde edinmişti.

Bu konuları deşmemek, bunların anlamını aramaya kalkmamak daha iyi olurdu.

Mutsuz bir insan değildi. Her şeyden yakınan insanlarla bir araya gelmekten sakınır, böylelerini cinsel konulardan söz açanlar kadar densiz kişilerden sayardı handiyse...

Bay Boehme'nin hakkı vardı. Müdür olarak şimdikinden başka türlü davranamazda ki! Bu kararında herhangi bir şüphe, herhangi bir yergi gizlenmiyordu. Ancak görünmemesi daha iyi olurdu bir süre...

Bayan Cole'un bundan haberi vardı besbelli; Spencer koridordan geçerken yapma bir neşeyle seslenmişti çünkü:

"Yakında görüşürüz yine! Hem pek yakında, eminim!"

Nasıl açıklanabilirdi bu? Karısının evinde, iyice rahat edebilmek için okuldakine benzer bir köşe düzenliyordu kendisine; şimdi ise okul onu uzaklaştırıyor, atıyordu, hiç değilse geçici olarak; öyle ki, avunmak üzere karısının yanına dönüyor, ona sığınıyordu...

Arabayı çalıştırdı. Yolun ilk dönemecinden kıvrılırken, sert bir manevra yüzünden cam gibi buzların üzerinde az kalsın kayacak, yoldan çıkacaktı. Bundan sonra daha dikkatli davrandı, köprüyü geçti, postanenin önünde durdu; kutusunda yalnızca birtakım broşürler vardı. Ama postanede görüp selamladığı iki kadın, öğrencilerinin anneleri ona şaşkınlıkla baktılar. Bunlar okula telefon edenlerden değildi herhalde; Spencer'ı ders saatlerinde kent içinde görmek şaşırtmıştı onları.

Evinin önünde, avluda duran arabayı tanıdı: Eyalet polisinin arabasıydı bu. Oturma odasında Christine'in yanında Teğmen Averell vardı. Christine, Spencer'a ne olduğunu sorar gibi baktı.

"Müdür, birkaç gün okulda görünmezsem daha iyi olur diye düşünüyor."

Hafiften gülümsediği bile söylenebilirdi.

"Haklı. Öğrenciler çok heyecanlanıyordur..."

Averell:

"Gördüğünüz gibi, çağrılmadan, karınızla biraz gevezelik etmeye geldim efendim. Bugün öğleden sonra burada olması beklenen Bayan Sherman gelmeden önce, hakkında biraz bilgi edinmek istiyordum. Bu arada kızı konusunda da daha açık, daha kesin bir düşünceye varmaya çalışıyorum."

Ashby:

"Ben çalışma odama gideyim, dedi.

— Rica ederim gitmeyin. Burada kalmanız beni ancak sevindirir. Doğrusu ya, sizi evde bulmayınca şaşırmıştım; Crestview'da öyle bir şey olacağını bekliyordum çünkü. Gazeteleri okumuşsunuzdur...

— Şöyle bir göz attım.

— Gazetelerin yazdığında her zamanki gibi doğruluk payı da var, yanlış olan şeyler de... Kısaca, anlattıkları şeyler gerçekliğe hemen hemen uyuyor...

Christine karşıdan bir şeyler anlatmaya çalışıyordu; karısının ne demek istediğini Spencer neden sonra anlayınca Averell'a sordu:

"Bir scotch içersiniz, değil mi?"

Christine haklıymış. Averell hiç duraksamadan içkiyi kabul etti. O da, bu ziyaretin resmi görünmemesi için elinden geldiğince uğraşıyordu.

"Biliyor musunuz? Bu işi bana telefonda ilk anlattıkları zaman dikkatimi hemen çeken şey şu viski konusu oldu. Hani cinayet karayolu üzerinde işlense, öldürülen kız da şu yol üstü lokantalarında rastlanan kızlardan biri olsa durum değişirdi. Ama bu evin içinde işlenince..."

Spencer'ın bu sözlerden anlayıp öğrendiği şuydu: Bella'nın içmiş olduğu içkiden Teğmenin daha dün sabah haberi vardı... Demek Wilburn viski kokusunu hemen hissetmişti; cesedi Ashby'ye gösterdiklerinde koltuğun arkasındaki şişeyi belki de çoktan bulmuştu.

Bunun da bir anlamı vardı. Gerçekte doktor bu cinayetin bir serserinin, bir sabıkalının elinden çıktığını artık düşünmüyor demekti. Doktor Spencer'dan şüphelenmişti bunun üzerine...

Peki, kendi davranışlarında bu şüpheleri destekleyebilecek, artırabilecek herhangi bir şey var mıydı? Bu soru başka türlü, kabaca sorulacak olursa, Doktor *birtakım belirtiler mi seziyordu?*

Spencer cinsel suçlar üzerinde hiç durmamış, bu konuyu hiç incelememişti. Bildikleri herkesin bildiği, gazetelerden, dergilerden öğrenilen şeylerdi.

İşte, bu bölgede cezaevinde olmadıklarına göre tehlikeli sayılmayan, göz hapsinde bulundurulmakla yetinilen, en azından iki manyak olduğu ortaya çıkmıştı... Spencer, bunlar teşhircilerden olsa gerek diye düşünüyordu. Bunların adını öğrenmeye, onları gözlemlemeye çalışacaktı.

Ama onu asıl ilgilendiren, cinayet işleyen tipti...

Bu ilgisini de anlıyordu. Sanki hepsinin, bu cinayeti işleyen, bu işleri yapmaya alışmış biri, rastgele bir adam, bir serseri, herhangi bir azılı herif olsaydı, iş kolay sayılırdı, der gibi bir havaları vardı.

Bu adamların kafasını yoran şeyler, Ashby'nin ancak azar azar öğrendiği, birkaçını ise daha yeni yeni sezer gibi olduğu birtakım ayrıntılardı.

Önce, şu biliniyordu: Bella kendi isteğiyle viski içmişti. Üstelik ilk içişi olmadığını düşündürmeye yetecek kadar da çok içmişti. Öyleydi, değil mi?

Sinemaya gitmemişti. Kapının önüne gelince, hanım hanımcık iyi geceler diyeceği bir delikanlıyla dönmemişti eve... Ashby'nin çalışma odasına indiği zaman, dışarıda onu bekleyen biri vardı; biraz sonra gidip anahtarını verdiği biri...

Bunun da bir anlamı vardı. Bella onların bildiği, düşündüğü kız değildi; erkeklerle yatak odasında buluşan bir insandı...

Gazeteye göre, böyle bir insan olduğunun anlaşılması, doktorun *cesedi incelerken* duyduğu şüpheleri *doğruluyordu.* Artık kız olmadığını, kadın olduğunu anlatmak istiyorlardı, değil mi? Ayrıca *şiddete başvurmak* gerekmemiş olduğunu da usulca belirtiyorlardı.

Wilburn bütün bunları ta başından beri biliyordu; Spencer buna emindi. Oysa Wilburn, Spencer'ın katil olabileceği düşüncesini, *en baştan* bir yana bırakabilirdi, ama bırakmamıştı.

Spencer'ı da allak bullak eden buydu ya... Wilburn onu on yılı aşkın bir süredir tanırdı, ona kaç kez bakmış, onunla kaç kez briç oynamıştı; Christine'le ailesini öteden beri tanır, onlarla görüşürdü. Keskin bir zekâsı vardı; gerek uğraşındaki görgüsü gerek insanlık görgüsü ise herhangi bir köy ya da kent doktorunun görgüsünü kat kat aşardı.

Oysa Wilburn'e göre, gecenin birkaç saatini Bella'nın odasında geçirip onu boğan erkeğin Ashby olması olanaksız bir şey değildi.

Spencer çıbanı tek başına patlatıp temizlemeye çalışıyordu. Geceden beri hiçbir sonuç elde etmeden bunun için uğraşıyordu. Hem dahası vardı; doktorun gülümseyişi... Yalnızca sabahki gülümseyişi de değil; saat ikide, Ashby'nin karşısında çırılçıplak durup, böylece suçsuzluğunu kanıtladığı muayene sırasındaki gülümseyişi...

O sırada bile Wilburn *anlayan bir insana* gülümser gibi gülümsüyordu Ashby'nin karşısında; anlayabilecek birine, başka deyişle söylenecek olursa *bu işi yapabilecek* birine gülümser gibi gülümsüyordu...

Hepsi o kadardı işte. Belki o kadarla kalmıyordu, ama en önemli, aklını en çok yoran şeyler bu kadardı. Öyle ki, Averell'ı elinde bir *highball*,[4] temiz insan yüzü, açık yürekli, ağırbaşlı adam bakışlarıyla, evinde, karşısında oturur görünce, onu çalışma odasına götürüp şu soruyu açıkça sormak geliyordu içinden:

"Yapımda ya da davranışlarımda, bu türlü bir şey yapabilecek bir insan olduğumu düşündüren herhangi bir şey var mı?"

Gerek onuru, gerek suçsuzluğunun kanıtları ortada olduğu halde kendisinden yeniden şüphelenilmesi korkusu, onu bunu yapmaktan alıkoyuyordu. Hoş, bunlar gerçekten kanıt sayılır mıydı? Gerçi Bella'nın tırnakları altında görülen kan vardı, buna karşılık Wilburn onu muayene etmiş, gövdesinde ufacık bir çizik olsun bulamamıştı. Ama bundan başka ne vardı? Karanlıkta kapının önünde görülen, Bella'nın bir şey verdiği adam? Bella'nın ona bir şey verdiği nereden belliydi? Verilen şeyin anahtar olduğu nereden belliydi? Bu olayı Bayan Katz'dan başkası görmemişti. Sheila Katz polisin Ashby'den şüphelenmemesini sağlamak üzere böyle bir ifade vermeye kalkamaz mıydı? Hem öyle yapması ille de Ashby'ye acıdığını göstermezdi ki... Spencer evin içinde gidiş gelişini, dolaşmalarını, penceresinin önünde duran Bayan Katz'ın ilgiyle izlemekte olduğunu birkaç kez kurmuş, düşünmüştü; Christine'le konuşurken Katz'lardan hiç söz açmamasının başlıca nedeni de buydu.

---

[4] Uzun bardakta servis edilen alkollü ve alkolsüz içecek karışımı. Burada viski soda.

Averell konuşuyordu:

"Virginia'daki bölge polisi bize herhangi bir bilgi sağlayamadı; bu yüzden biz de FBI'ın orada bir soruşturma yapmasını istedik. Elde edebildiğimiz tek bilgi, Bayan Sherman'ın birkaç ay önce gecenin ikisinde sarhoş halde araba sürdüğü için tutuklanmış olduğu."

Christine gözlerini neredeyse gülünç olacak ölçüde açarak:

"Lorraine'in arabasını mı sürüyormuş? diye sordu.

— Hayır, yanında gezdiği evli bir adamın arabasını kullanmaktaymış. Bu adam oralarda pek tanınmış bir kişi olduğu için bu iş mahkemeye götürülmemiş.

Lorraine'in bundan haberi var mı?

— Olmaz olur mu? Hem bu kızın, annesinin canını daha başka şeylerle de sıkmış olduğunu sanıyorum. Bella'nın okuduğu okullardan gelecek bilgileri bekliyoruz şimdi.

— Ben de hiçbir şeyin farkına varmayayım ha? Haydi ben farkına varmadım; arkadaşlarımdan biri olsun nasıl farkına varmadı? Bella'yı arkadaşlarımın birçoğuna, özellikle kız annelerine tanıştırmıştım, çünkü..."

Zavallı Christine! Böylelikle yüklendiği sorumluluklardan ürken, işiteceği sözleri düşünerek tasalanan Christinecik!

"O kadar az makyaj yapar, üstüne başına o kadar az özen gösterirdi ki... Kılığına biraz daha düşkün olmasını ben söylerdim..."

Averell hafif hafif gülümsüyordu.

"Annesi normal bir insan mıdır?

— Dünyanın en iyi kadınıdır Lorraine! Biraz gürültücüdür, biraz hoyratçadır, biraz erkeksidir, ama öyle açık yürek-li, öyle iyi bir insandır ki!

— Bayan Ashby, Bayan Sherman'ı götürdüğünüz aileler hangileridir, zahmet olmazsa bir listesini çıkarır mıydınız bana?

— Hemen çıkarayım. Onu olsa olsa on aileye tanıştırmı-şımdır... Erkeksiz aileleri de yazayım mı listeye?"

Christine o kadar da saf değildi hani!

"Hayır, onlar gerekli değil..."

Christine ocağın yanında, köşede duran yazı masasına gi-dip oturunca, Averell Ashby'ye doğru döndü, taş atmaya kal-kışmaksızın sordu:

"Bu gece uykunuzu alamamışsınız galiba?"

Bu adam Spencer'a tuzak kurmaya kalkmıyordu.

"Doğru. Hemen hemen hiç uyuyamadım diyebilirim. Da-lınca da karabasanlara, uğradım...

— Aldanıyorum belki de... Ama sizin kızlarla pek az düş-müş kalkmış bir adam olduğunuza bahse girebilirim...

— Hiç düşüp kalkmadım. Rastlantı olacak, gittiğim okul-ların hiçbiri karma okul değildi... Öğrenci sıralarından kalktı-ğım gün de öğretmen koltuğuna oturdum.

— Çalışma odanızı pek sevdim doğrusu. Gidip oraya bir daha göz atsam canınız sıkılmaz, değil mi?"

Averell da ötekiler gibi ona düşman mı kesilecekti? Ashby böyle bir şeyi olası görmedi. Averell'ı odasında ağırlamak onu mutlu kılıyordu.

Bardağını elinde tutan Averell, arkasından kapıyı örttü.

"Bu koltuğu eve getiren sizsiniz, değil mi?

— Nasıl bildiniz?"

Teğmenin, bunu bilmekte ne var, der gibi bir hali vardı. Ashby onun ne düşündüğünü anlıyordu.

"Babamdan kalan eşya arasından bir tek bu koltuğu alıkoydum.

— Babanız öleli çok mu oluyor?

— Yirmi yıl kadar oluyor...

— Sormama izin verin... Neden öldü acaba?"

Ashby duraksadı; çevresini alan, alışmış olduğu eşyaya danışır gibi bakındı, neden sonra Averell'a doğru bakarak başını kaldırdı.

"Bu dünyadan ayrılmayı daha uygun bulmuştu..."

Kendi ağzından çıkan bu sözleri işitmek tuhaf oluyordu. Başını sallayarak:

"Hani, çok iyi aile, derler ya, diye ekledi, işte öyle iyi bir ailedendi babam. Daha da iyi aileden bir kız almıştı. Hiç değilse, öyle derlerdi de duyardım ben. Ne var ki babam kendisinden umulduğu, beklendiği yolda davranmamıştı yaşayışında..."

Yeniden çalışma odasına indirdiği viski şişesini gelişigüzel gösteriyordu Spencer.

"Bu, hele bu... Çok alçalmak tehlikesiyle karşı karşıya kaldığını hisseder gibi olunca..."

Sustu. Öbürü anlamıştı ne demek istediğini.

"Anneniz sağ mı?

— Bilmiyorum. Galiba sağ..."

Averell düşünmeksizin yapılıveriyormuş gibi görünen bir hareketle eski meşin koltuğun kolunu, canlı bir insanın kolunu sıvazlar gibi sıvazlamaya başladı. Bunu bilerek yapıyor idiyse, anlatılamayacak ölçüde büyük bir incelik gösteriyor demekti.

V

Saat üç buçuktu; ışıkların daha yakılmadığı oturma odasında gün kararıyordu. Aralıkta olsun, evin –yatak odası dışında– başka bir yerinde olsun, ışıklar yanmıyordu; yatak odasından pembe bir aydınlıkla birlikte, sokağa gitmeye hazırlanan Christine'in çıkardığı alışılmış sesler, gürültüler geliyordu.

Lorraine'i bekliyorlardı, buraya dördü yirmi geçe varan New York treniyle gelecekti; istasyon evlerinden iki mil kadar uzaktaydı. Lorraine'i karşılamaya Christine gidecekti. İçinde bir odunun yanıp dağılmak üzere olduğu ocağın önünde oturan Spencer gözlerini yummuştu, pıposundan ara ara bir nefes çekiyordu.

Dışarıda kış gecesinin ortalığı ağır ağır kapladığı görülüyordu; tek tük yanan ışıkların parıltısı geçen her dakikayla artıyordu.

Christine herhalde yatağın kıyısına oturmuş, ayakkabısını giymek üzere ayağından terliğini çıkarmıştı ki, öbür ışıklardan daha ak, daha göz kamaştırıcı, daha oynak iki ışık eve girer gibi oldu, tavanın bir parçasını aydınlığa boğduktan sonra gidip iki hayvan gibi Katz'ların evi önünde durdu. Sürücü arabanın kapılarını açıp kapıyordu... Bu arabayı tanımıştı Ashby, Bay Katz'ın arabasıydı... Öbür arabalardan daha uysal, daha başka bir gürültü çıkaran, hareketi bile başkaymış gibi görünen bir arabaydı bu.

Bay Katz belki sadece birkaç saat, belki de birkaç gün kalmak üzere dönüyordu evine. Hiç belli olmazdı... Spencer başını kaldırıp pencerelerine doğru bakmıştı; Sheila arabanın geldiğini duymuş muydu? Duyduysa kocasını karşılamak için yerinden kalkacak mıydı?

Komşu oldukları halde kadının adını Spencer'ın ancak gazeteden öğrenmesi tuhaf değil miydi? Şimdi artık onu tanıdığı için, kadın ona daha bir egzotik geliyor, onu Boğaz kıyısında, Beyoğlu'nda yerleşmiş şu eski Yahudi ailelerinden gelen biri olarak düşünmekten hoşlanıyordu.

Kafasını uyanık tutmak için hiç uğraşmıyor, uyukluyordu. Limuzinin ışıkları –yatıştırılan iki kocaman köpek gibi– söndürülür söndürülmez, bayırdan daha gürültülü bir başka araba tırmandı, bir kamyonetti bu, üzerinde bir New York kilit firmasının adı ile adresi vardı.

Arabadan üç kişi inmişti; evinin eşiğinde duran, kürk astarlı paltosunun içinde yuvarlacık toparlacık görünen Katz, kısacık kollarını sallaya sallaya bu adamlara ne istediğini anlatıyordu.

New York'ta Bella'nın öldürüldüğünü işitmiş olacaktı... Evine açılmaz kilitler, kim bilir belki de bir alarm düzeni yerleştirmek üzere, yanına uzman işçiler de katarak koşup gelmiş olacaktı.

Odasında koşuşup duran Christine:

"Geç kalmadım ya?" diye sordu.

Spencer tam karşılık verecekti ki, sokak kapısı vuruldu, sarsıldı. Koştu açtı, karşısında tanımadığı bir kadın görünce şaşaladı. Boyu, kalıbı Spencer'ın boyuna, kalıbına eşit olan bir kadındı bu. Yüzü bir erkek yüzünü andırıyordu. Pas rengi yün bir tayyör vardı sırtında; tayyörünü de yaban kedisi postundan yapılmış bir manto örtüyordu.

Her şey öylesine ansızın olmuştu ki, bütün ayrıntıları Spencer ilk bakışta kavrayamadı, ama kadının kabına sığmayışı, astığı astık kestiği kestik bir hali oluşu, viski kokusu dikkatini hemen çekti.

"Christine evdedir herhalde..."

Spencer kilitçinin kamyonetinin arkasında duran New York taksisinin sarı karoserisini ancak kapıyı kaparken gördü. Bahçelerinin karlı yolunda bu araba pek tuhaf duruyordu.

"Adamın parasını verir misiniz lütfen? Havaalanında yola çıkmadan ücrette anlaşmıştık. Sizden daha fazlasını istemesin. Yirmi dolar vereceksiniz..."

Kadının sesini alan Christine odasından bağırdı:

"Lorraine!"

Lorraine'in, Spencer'ın sürücüye parasını verdikten sonra alıp getirdiği tek bir çantası vardı yanında; küçük bir çantaydı o da...

"Kızına ilişkin bir şeyler anlattı bana; doğru mu? diye sormuştu sürücü.

— Evet. Öldürüldü.

— Bu evde mi?"

Dikkatle bakabilmek için başını eğip uzatmış, ileride gördüklerini anlatacağını düşünen kimselerin müzelerdeki yapıtlara baktığı gibi bakmıştı eve... İki kadın bağıra bağıra konuşuyor, gözyaşlarına boğulma isteğiyle bakışıyor, ama burunlarını arada bir çekmekle yetiniyorlardı; hiçbiri ağlamıyordu gerçekte.

Sürücünün sorusunu biraz andırarak Lorraine:

"Burası mı?" diye sordu.

Spencer bu kadına acımak zorundaydı, ama düş kırıklığına da uğramıştı. Belki Christine'den yaşlı değildi, ama yaşlı gösteriyordu. Saçı ağarmıştı, kötü taranmıştı; yanaklarını açık renkli birtakım tüyler kaplıyor bunlar çenesine doğru indikçe sertleşiyordu. Bu kadının bir zamanlar genç kız olduğunu düşünmek güçtü. Hele Bella'nın annesi olması büsbütün inanılmaz bir şeydi.

"Biraz elini yüzünü yıkamak istemez misin?

— Hayır. Her şeyden önce bir şeyler içmem gerek."

Çatlak bir sesi vardı. Bu ses belki de her zamanki sesiydi. Spencer'a iki üç kez bakmıştı, ama evin duvarlarıyla Spencer arasında herhangi bir ayrım görmüyor gibi bir hali vardı. Oysa Spencer'ın kim olduğunu biliyordu.

"Götürdükleri yer uzak mı?

— Beş dakikalık yol.

— Hemen gitmeliyim oraya, yapacak işlerim var.

— Ne yapacaksın? Onu Virginia'ya götürmeyi mi düşünüyorsun?

— Ya ne yapacağım? Kızımı buralarda gömdüreyim de yapayalnız mı bırakayım? Sağ ol. Su istemez. Sert bir şey içmem gerek."

İçkiyi sek içiyordu; patlakça gözleri sulanmıştı, ama üzüntüsünden mi, yoksa gelmeden önce içtiği içkilerden mi, belli değildi. Spencer bu kadına biraz gücenmişti sanki. Bella'nın annesinin başka türlü bir kadın olmasını tercih ederdi çünkü...

Çantasını sehpanın üzerine bırakırken, yolda aldığı anlaşılan gazeteleri de yanına koymuştu. Gazetelerin arasında bir de Danbury gazetesi vardı. Danbury bir saat kadar önce içinden geçtiği bir kentti. İri puntolu başlığını görünce Spencer gazetede Bella'nın sözü edildiğini anladı, ama elini uzatıp gazeteyi almaktan çekindi.

"Bir banyo yapsan biraz dinlenirdin Lorraine... İstemez misin?... Yolculuğun nasıl geçti?

— İyi geçti... Galiba... Farkında değilim..."

Çantanın üzerinde havayolları şirketinin yaftası hâlâ yapı şık duruyordu; gümrükte tebeşirle çizilen işaretler silinmemişti daha.

Christine Lorraine'i odasına götürmek için uğraşıyordu. O ise direniyor, işitmemiş gibi davranıyordu; Spencer sonunda kadının orada duran şişeden ötürü gitmek istemediğini anladı. Tuttu, Lorraine'in bardağını yeniden doldurdu; o zaman Lorraine bardağı eline alarak, güçlük çıkarmadan Christine'le birlikte kalktı yürüdü; odaya kapandılar.

Soğuk bir sesle, bir uşakla konuşurmuşçasına taksi parasını vermesini söyledikten sonra Lorraine'in Spencer'a tek bir söz bile etmemesi nedendi acaba? Kasten mi yapıyordu?

Şimdi banyodan musluk sesleri, çekilen suyun gürültüsü, Lorraine'in erkeksi, Christine'inse daha duru, daha donuk sesi duyuluyordu.

Karşıda, yukarıda, ellerini arkasında kavuşturmuş Bay

Katz geniş pencerenin önünde gidip geliyordu; görünmeyen birine bir söylev veriyordu sanki; herhalde işçilerin yapmakta olduğu iş üzerine konuşuyordu. Bella'nın ölümü yüzünden Sheila'yı değerli bir nesneymişçesine, koruyucu tellerden oluşturulmuş gizemli bir ağla sarıyorlardı; bu iş Ashby'yi etkiliyordu gerçekte. Katz'ın kafası keldi, ama kelini lacivert pırıltılı, kuzgun karası birkaç telle örterdi. Üstüne başına pek düşkündü; kokular da sürünürdü herhalde...

Odadan çıkan Christine parmağını dudağına koyup telefona gitti, bir numara çevirdi; bu sırada banyodan, biri hıçkıra hıçkıra ağlıyor ya da kusuyor gibi birtakım sesler geliyordu. Christine şu anda ona bir şey söyleyemeyeceğini, başka türlü davranamayacağını anlatıyordu gözleriyle. Spencer adı gibi biliyordu, Christine de, hayal kırıklığına uğramadıysa bile, onun kadar şaşakalmıştı bu hale.

"Alo! Coroner'ın dairesi mi efendim? Bay Ryan'la konuşabilir miyim acaba?"

Sesini alçaltıp çabuk çabuk anlattı kocasına:

"Telefon etmemi o istiyor, dedi.

— Alo! Ben Christine Ashby, Bayan Noeller... Bay Ryan'la biraz konuşabilir miyim acaba? Bekliyorum, evet..."

Yine alçak sesle:

"Hemen gitmek istiyor, dedi.

— Ne zaman?"

Karşılık vermeye vakit bulamadı.

"Bay Ryan? Rahatsız ediyorum efendim, affedersiniz... Size söylemiştim, arkadaşım Lorraine'i bugün bekliyordum; trenle geleceğini sanıyordum, oysa uluslararası havaalanından taksi

tutmuş, çıkageldi, şaşırttı beni. Evet. Burada. Hayır, uğraya-
cak vaktimiz olmadı daha. Ne dediniz? Bilmiyorum. Elbette,
evimiz kendi evi sayılır, buraya gelip ona soracağınızı sorabi-
lirsiniz isterseniz... Nasıl?... Bir dakika. Sorayım. Bir saattan
önce orada olamayız zaten, bir buçuk saat diyelim..."

Christine yerinden kımıldamamış olan, piposunu hâlâ
azar azar çekiştiren kocasına bakarak özür diler gibi gülüm-
sedi. Öbür odaya gidip Lorraine'le konuştu, oturma odasına
döndü.

"Alo! Evet, tamam. Sizi Litchfield'e gelip görmek istiyor.
Arabayı ben kullanacağım... Görüşürüz efendim..."

Lorraine aralığa çıkmıştı; üstünde tayyörün sadece etekliği
vardı, üstü yoktu; pembe içgömleği bir güreşçi göğsü örter
gibiydi; biraz şaşkın bir sesle soruyordu:

"Çantam ne oldu?

— El çantan mı?

— Tuvalet çantam canım!"

Ashby Bella'yı düşünüyordu; kendisine hem daha yakın
hem daha uzak bulmaya başladığı Bella'yı... Bella ne yapıca ne
de huyca benziyordu annesine. Ama şimdi Bella'nın yanında
yaşamış olduğu bir insanı tanımaya başlayan Spencer'ın gö-
zünde bu kız –bundan ötürü– daha bir gerçeklik kazanıyor-
du. Daha da küçük, haşarı bir kız oluveriyordu Spencer'ın
gözünde...

Belki de Bella'yı ölü bulduklarından beri Spencer'ı öylesi-
ne tedirgin eden de buydu gerçekte... Bella için söylenenlerin
hepsi –olup bitenler, daha sonra ortaya çıkan şeyler göz
önünde tutulursa– ister istemez bir kadın üzerine söylenecek

sözlerdi. Oysa gerçekte Bella küçük, haşarı bir kızdı ancak... Bundan ötürüdür ki, ölümünden önce Spencer ona aldırış etmemişti. Cinsel bakımdan herhangi bir özellik kazanmamıştı Spencer'ın gözünde, dişiliği olmamıştı onun için. Örneğin kızın göğüsleri olabileceği gelmemişti aklına. Sonra da ansızın onu yerde yatarken görmüştü, odasında, yerde...

"Seni yalnız bırakacağız Spencer...

— Peki canım. Güle güle...

— Uzun sürmez herhalde. Lorraine yüreklidir, ama artık hali kalmadı, biliyorum..."

Lorraine iri, bulanık gözlerle şişeye bakıyor, Christine ise neye karar vereceğini bilemiyordu. Ona şimdi içki vermese, Litchfield'e varmadan az önce yolun kıyısında duran, pırıl pırıl aydınlatılmış barı nasıl olsa görecek, o barda biraz oturmaları için Christine'i nasıl olsa sıkıştırıp duracaktı. Ryan'a biraz tuhaf görünmesi pahasına da olsa, Lorraine'in isteğini yerine getirmek daha iyi olmaz mıydı? Adamlar bu tuhaflığını zaten heyecanına, üzüntüsüne yorarlardı.

"Bir bardak içelim de öyle gideriz.

— Sen içmez misin?

— Şimdi içmem, sağ ol.

— Kocanın bana bakışından hoşlanmıyorum... Erkeklerden hoşlanmıyorum zaten...

— Gel Lorraine."

Kürkünü sırtına geçirmesine yardım eden Christine onu arabaya doğru sürükledi.

Ashby bir an yerinden kıpırdamadı, sonra piposunun tütünü bittiği için kalkıp külünü ocağa boşalttı, kalkmışken de

gitti, Lorraine'in getirdiği gazetelerden birini aldı. Biraz bu-
ruşmuştu bu gazeteler, yer yer –elde tutulmaktan– mürek-
kepleri dağılıp leke yapmıştı. Cinayet konusunda verilen bil-
gilerin kaynağı, sabah gazetelerinde verilen haberlerin kayna-
ğının aynıydı, ancak bu bilgiler birkaç nokta üzerinde daha
tam, birkaç başka nokta üzerinde de eksikti; ayrıca bu gazete-
de bir iki son dakika haberi de vardı galiba.

Spencer'ın dikkatini çeken şu oldu: Geçmişte suç işledik-
leri için ilk elde şüphelenilen, sorguya çekilen iki adamın ad-
ları burada da tam olarak verilmiyordu, ama kim olduklarını
Spencer'ın biraz düşünmekle bulabileceği biçimde, adları bil-
dirilmiş, soyadlarının da ilk harfi yazılmıştı.

"Polis, Irving F... adlı bir kişiyi uzun uzun sorguya çek-
miştir. Bu adam cinayet gecesi vaktini nasıl geçirdiğini kesin
biçimde anlatabilmiştir. Irving F... bundan on sekiz yıl önce,
bir ırza geçme suçu yüzünden iki yıl hapis yatmış, o zaman-
dan bu yana davranışlarında en ufak bir kusur görülmemiş-
tir.

"Paul D... adlı başka bir kimse için de durum aynıdır. Bu
adam da buna benzer bir suçtan ötürü, gönüllü olarak, bir
sağlık yurdunda uzun süre kalmış, o zamandan beri de her-
hangi bir şikâyete..."

Irving F... New York'lu bir bankacının köşkünde bahçı-
vanlık yapan, hâlâ Alman şivesiyle konuşan, Fincher Baba di-
ye çağırdıkları yaşlı bir Alman göçmeniydi. Yedi sekiz çocuğu
vardı en az... Torunları da vardı. Hepsi bir arada yaşardı.
Bahçıvanın evi okul yolu üzerinde, parmaklığın hemen dibin-
de olduğu için Spencer bu adamı yazın sık sık görürdü. Karı-

sı kısa boylu, gövdesinin alt yanı kocaman bir kadındı; ağarmış saçını tepesinde toplayıp sert bir topuz yapar, öyle gezerdi.

Öteki, aldanmıyorsa, hemen hemen ahbap sayılabilecekleri bir adamdı; toplantılarda karşılaştıkları, ara sıra karşılıklı briç oynadıkları bir adam... Soyadı Dandridge'di, emlak aracısıydı, bir emlak aracısından umulmayacak ölçüde de kültürlüydü. Ashby bu adamın bir zamanlar gerçekten sanatoryum dedikleri bir yerde uzun süre kaldığını anımsıyordu. Bu sanatoryumun ne çeşit bir sanatoryum olduğu anlatılmadığı için adamın ciğerlerinden rahatsız olduğunu düşünmüştü.

Bu adam da evliydi. Karısı güzelce, silik, çekingen, Christine'in ilginç yüzlü diyeceği bir kadıncağızdı. Birdenbire farkına varıyordu Spencer, giysisinin altında nasıl bir vücudu olduğu kestirilemeyen kadınlardandı bu kadıncağız. O zamana değin aklına böyle bir şey gelmemişti, ama Spencer şimdi düşünüyordu da, arkadaşları, tanıdıkları arasında öyle kadınların sayısı hiç de az değildi.

Christine biçimli, hem de dolgun biçimliydi, ama öyle güçlü bir kadınlığı –hiç değilse şimdi Spencer'ın düşündüğü çeşitten bir kadınlığı– yoktu. Hem öyle olması artık yaşlandığından değildi... Tanıştıkları zaman da öyleydi. O zaman Christine yirmi altı yaşında falandı. Aralarında evlenme lafı edilmeye başlamadan çok önce tanışmışlardı; o zamanlar Bayan Vaughan'ın kanseri de söz konusu değildi henüz. Aile albümünde Christine'in yirmi yaşında, on altı yaşında çekilmiş resimleri vardı; aralarında mayolusu da vardı bu resimlerin; Spencer bunları görmüştü. Yakınacağı bir şey yoktu ortada;

eninde sonunda, başka bir şey de aramış değildi... Ancak Christine'in teni, Spencer'ın gözünde, her zaman bir anne, bir kız kardeş teni özelliği taşımıştı. Spencer fark ediyordu.

Bella öyle değildi ama... Sağken Spencer bunlara dikkat etmemişti doğrusu; ancak şimdi, Bella'nın böyle olmadığını, onun halinin bambaşka olduğunu biliyordu. Sheila Katz da öyle değildi. Hele Bill Ryan'ın sekreteri, ancak soyadını bildiği Bayan Moeller, hiç değildi; tersine, öylesine dişiydi ki, bacaklarına bakınca bile insanın yüzü kıpkırmızı kesilirdi.

Zili çaldığında, karşılık vermeden, uzunca bir süre telefonu süzdü, neden sonra, istemeye istemeye kalktı yerinden; kendi sıcaklığı, kendi mahremiyeti içinde öyle rahattı ki...

"Efendim?

— Spencer?"

Christine'di konuşan.

"Litchfield'deyiz. Coroner'ın yanında. Daha doğrusu Lorraine onun yanında. Onu orada bıraktım, çıktım. Çıkacağımı söylediğimde Ryan kalayım diye herhangi bir şey söylemedi, tersine, sevindi galiba... Sana bir marketten telefon açtım. Lorraine Ryan'ın yanında biraz daha kalacağına göre ben de öteberi alayım dedim bu arada. Kaygılanmayasın diye telefon ediyorum. Nasılsın?

— İyi.

— Kimse gelip seni rahatsız etmedi ya?

— Hayır.

— İşliğinde misin?

— Hayır, yerimden kıpırdamadım."

Niye merak ediyordu onu Christine? Telefon etmesi hoş

bir şeydi ya, ne yaptığını, nerede olduğunu sorarken biraz fazlaca üstelemiş olmuyor muydu?

"Bu gece ne yapacağız diye düşünüyorum... Onu Bella'nın şey olduğu odada yatırmamız doğru olur mu dersin?...

— Seninle yatsın peki...

— Sen o odada rahat eder misin acaba?..."

Sanki niye ediyorlardı bütün bu lafları? Hele bütün bu hazırlıkların, her zamanki gibi, gereksiz olacağını, boşa gideceğini bilselerdi... Ama bilmiyorlardı daha. Christine Lorraine'i daha iyi tanıyor olmalıydı, ve onun, adına kararlar alınamayacak biri olduğunu bilmeliydi.

"Ryan nasıl?

— İşi başından aşkın. Bir sürü insan bekleme odasına doluşmuş. Yüzlerine uzun uzun bakmadım, ama hepsi bizim buralı adamlar gibi geldi bana. Çoğu da delikanlı...

— Telefonu kapasan iyi olacak galiba. Kapı çalınıyor.

— Haydi güle güle canım. Soğukkanlı ol..."

Kapıyı açınca Spencer karşısında, kendisini selamlamak için eğilen Bay Holloway'i gördü. Holloway ezilip büzülüyor, bir densizlik ederim korkusuyla çırpınıyor, elden geldiğince az rahatsızlık vermek için sanki ufalmaya bakıyordu.

"Lorraine Sherman'ı mı görmeye geldiniz?

— Hayır. Geldiğini, şu anda da Litchfield'de olduğunu biliyorum."

Gözü hemen viski bardaklarına gitti; Ashby'ninki açık renkli bir sıvıyla yarı yarıya doluydu daha, Lorraine'inkinde ise su katılmamış alkolün koyu izleri vardı. Anlar gibi oldu; sonra Danbury gazetesine gözü ilişti.

"Yazı ilginç mi?

— Daha bitirmedim.

— Okumanıza bakın siz. Ben sizi rahatsız etmeyeyim. Sadece Bayan Sherman'ın yattığı odada biraz vakit geçirmeme izin vermenizi rica edeceğim. Sizce bir sakınca yoksa, ara sıra evde dolaşıp oraya buraya bakmak isterim. Yalnız rica edeceğim, bana aldırış etmeyin, ben yokmuşum gibi davranın."

Holloway'le karısı dirlik düzenlik içinde yaşayan ihtiyarcıklardı herhalde; adamın yün eldivenlerini, çoraplarını, atkılarını karısı örse gerekti. Sabahları boyunbağını bağlayan da yine karısıydı belki...

"Bir şey içmek istemez miydiniz?

Şimdi içmeyeyim, sağ olun! Daha sonra canım çekerse çekinmeden isterim inanın..."

Yolu biliyordu Holloway. Ashby onu kırmamak için koltuğundan kalkmadı; gazeteyi eline aldı, yine o yazıyı okumaya başladı; ama demin yazının neresinde kalmıştı, onu pek bilemiyordu.

"Polis bir ara işe yarar bir ipucu bulduğunu sandı. Hartford yolu üzerinde bulunan *Little Cottage* adlı bir gece kulübünün barmeni gelip ifade vermiş, cinayet gecesi, gece yarısından az önce, hali kendisine sonradan biraz garip görünmüş bir çiftin barına uğrayıp oturduğunu söylemişti.

"Pek genç olan kadın Bella Sherman'ı andırıyordu. Barmene göre bu kızın heyecanlı, belki de hasta ya da sarhoş gibi bir hali vardı. Yanındaki adam otuz yaşlarında gösteriyordu. Kızla alçak sesle, ama onu idare etmek istermişçesine ısrarlı konuşmuştu.

"Barmen ifadesinde şunları söylemiştir: "Söylenenleri kabul etmek istemiyormuş gibi başını sallayıp duran kızın, öyle ürkmüş ya da öyle yorgun bir hali vardı ki, bir ara söze karışmak istedim. Çünkü gece yarısı da olsa, yolda da olunsa, bir kadınla böyle konuşulması hoşuma gitmez. Bu kadın kafayı çekmiş bile olsa..."

"SORU: Kızın sarhoş olduğunu mu söylemek istiyorsunuz?

"YANIT: Bana öyle geldi ki, iki kadeh daha içmesi, sızmasına yeter de artardı.

"SORU: Kız sizin barda hiçbir şey içmedi mi?

"YANIT: Bara gelip oturdular. Yürürlerken, anımsıyorum, adam kızı omuzlarından tutuyordu, düşmemesi için sanki... Ama belki de kızın kaçıp gitmesinden korkuyordu da onun için böyle tutuyordu onu. Adam bira ısmarlamak istedi. Kız fısıl fısıl bir şeyler söyledi ona. Tartıştılar. Ben böyle şeylere alışkınımdır, onlar beni çağırıp kokteyl isteyinceye kadar ben de başımı çevirip başka yana baktım.

"SORU: Kız verdiğiniz içkiyi içti mi?

"YANIT: Bardağı ağzına götürürken eli titredi, içkiyi üzerine döktü. Ama giysisini silmek için en ufak bir şey de yapmadı. Adam mendilini uzattı. Kız istemedi. Sonra kız adamın bardağını elinden aldı, içti. Adam öfkesinden ne yapacağını bilemiyordu. Saatına bakıyor sonra kızın üzerine doğru eğiliyordu. Bana kalırsa, kızı alıp hemen götürmek için uğraşıp duruyordu öyle..."

Ashby başını kaldırdı. Ufacık tefecik Bay Holloway aralıkta ayakta duruyor, insanın yeni tuttuğu bir evde, eşyayı nerelere yerleştireceğini kestirmek üzere bakındığı gibi bakıyordu sağına soluna... Spencer'ı görmüyor gibiydi. Dalmış gitmiş olduğu belliydi. Çalışma odasının kapısına dek yürüdü, kapıyı açtı, sonra girmeden, başını sallaya sallaya sokak kapısına doğru gitti. Önünü görmüyor gibi bir hali vardı; öyle ki Ashby, adam geçebilsin diye bacaklarını çekmek zorunda kaldı. Holloway incelikle, ama başkaca bir açıklamaya girişmeden:

— Teşekkür ederim, dedi.

Ondan sonra Ashby birkaç satır atlamış olsa gerek.

"... Araba New York plakası taşıdığı için, polis bu yeni yolu izlemeye başlayacaktı, ama Bella Sherman'ın cinayet gecesi giydikleri barmene gösterilince, adam bu giysilerin, sözünü ettiği kızın giysileri olmadığını kesinlikle söyledi. *Little Cottage*'daki kızın sırtında açık renkli, yakası ile manşetleri kürklü bir yün manto ile epey buruşmuş, siyah ya da lacivert, ipekli bir giysi vardı.

"Edinilen bilgilere göre cinayet kurbanının böyle bir mantosu yoktu, o geceliğine de böyle bir mantoyu bir yerlerden bulmuş olması pek olacak şey değil...

"Barmenin dediğine göre, bu çift bardan çıkarken müşterilerden biri:

""Zavallı kızcağız! Umarım, gözünü bu akşam bu erkekte açacak değildir..." demiştir."

Gazeteye ancak yer doldurmak üzere konan, yeni hiçbir şey öğretmeyen bu *Little Cottage* öyküsünü Spencer, baştan sona niye bir daha okudu? Gerçi polise yeni bir şey öğretmiyordu, ama ya kendisine; Bella üzerine kurmakta olduğu imgeye, bu okudukları bir canlılık vermiyor muydu? Gece kulübünde kokteyl içen kız ister Bella olsun, ister başkası... Bu iki kadının ortak özellikleri yok muydu? İkisi de, Spencer'ın ancak anlatılanlardan bildiği, içyüzünü hiçbir zaman görmediği, öğrenmediği bir yaşama katılmış değiller miydi?

Gazetenin de, okurlarının büyük bir kısmına bu sözlerin yepyeni bir dünya açacağını bilirmişçesine bu konuşmaları yayımlamış olması tuhaftı. Sıradan sözlerdi bunlar, ancak söylenmiş olan sözlerdi... Yaşamı boyunca bir gece kulübüne gitmemiş olan adamlara bu sözler, bir gece kulübüne gitmiş gibi bir şey duyuruyordu... Ashby'de o adamlardandı. Bu öykü ona bir insan sıcaklığı, daha daha, koku gibi bir şey duyuruyordu, bir kadın kokusu gibi... Bunları okuyunca, kadınların çantalarından çıkardıkları pudralar, bu pudrayı dudaklarının üzerinden almak için dillerinin ucuyla yalanışları, kıpkırmızı, yağlı rujlarını dudaklarının üzerinden bastıra bastıra geçirişleri geliyordu aklına.

Cesedi gösterdiklerinde barmen şöyle demişti:

"Bara gelen kız o kadar genç değildi."

Ama öyle söylemesi de belki tedbirli davranmak isteyişinden ileri geliyordu; öyle ya, yetişkin olmayan bir kıza alkollü içki verdiğini itiraf etmek, işletme izninin elinden alınması demek olacaktı.

Ana yollar boyunca, hele şehirlere yakın yerlerde –örneğin Providence'la Boston arasında ya da Cape Cod karayolu üzerinde– bu tür barlara çok rastlanır. Spencer, Christine'le yaptıkları bir yolculuktan anımsıyordu bunu. Bu barların adı her zaman, çoğunlukla mavi ya da kırmızı neon ışıklarıyla, ara sıra da mor harflerle gözü hemen çekecek gibi yazılı olur.

Miramar, Gotham, El Charro, ya da sahibinin adına göre *Nick's, Mario's, Louie's* gibi adları olur bu barların... Değişik renkte, daha küçük harflerle bir bira ya da viski markasının ilanı yapılır. Bu barlarda her zaman az bir ışık, hafif bir müzik, koyu renkli tahtadan yapılmış bir duvar kaplaması, ara sıra da tezgâhın üzerinde, bir köşede, televizyonun gümüş parıltılı ekranı olur.

Neden, ne türlü bir çağrışımdan ötürü bunlar ona geceleri yol kıyılarında duran arabaları anımsatıyordu? Yanından geçerken içinde ağız ağıza iki solgun yüzün görüldüğü o arabaları?

"Şimdi sizinle bir şey içmek isterdim doğrusu Bay Ashby. İzin verir misiniz?"

Oturdu, gözlüğünü kılıfına, kılıfı da cebine soktu.

"Suçluyu yakaladığımızı görmeyi herkesten çok istiyor, bekliyorsunuzdur... Korkarım uzunca bir süre bekleyeceksiniz Bay Ashby. Bu işle uğraşan öbür kimseler belki de böyle düşünmüyorlar... Sağlığınıza! Ama bana sorarsanız, açıkça söyleyeyim, saatler geçtikçe umudum azalıyor.

"Bana kalırsa, ne olacak biliyor musunuz? Bu çeşit işlerin çoğunda görülen şey olacak... Ara sıra birtakım kurallar varmış gibi gelir bana; hiç kimsenin bilmediği, ama olayların hiç aksamadan uyduğu birtakım kurallar...

"Belki beş, belki on yıl sonra —orası önemli değil— bir kız bu olayınkine benzer koşullar içinde ölü bulunacak; ama bu kez katil şanslı olmayacak; bize ipucu verecek bir şey bırakacak ardında... İşte o zaman karşılaştırma yoluyla, tümdengelim yoluyla, Bella Sherman'ı öldüren adamın ele geçirildiği anlaşılacak...

— Bu adam bir daha cinayet işleyecek diye mi düşünüyorsunuz?

— Er geç işleyecektir. Aynı durumda, aynı koşullar içinde kaldığı gün...

— Ya aynı durumda kalmazsa bir daha?

— Aynı durumu yaratmaya çalışacaktır. Hem yaratmaya çalışması da, ne yazık ki, gerekmeyecektir... Bella Sherman gibi kızlar az değildir ki dünyada...

— Annesi neredeyse gelir, dedi Ashby. Biraz sıkılmış gibiydi, bu sözlerden ötürü.

— Biliyorum... Kızının en az on sevgilisinin adını bilmemesi olanaksızdır onun da..."

Bu kez Spencer'ın yüzüne dalga dalga bir kan yayıldı.

"Emin misiniz?

— FBI Virginia'da çalışmaya başlar başlamaz herkesin dili çözüldü...

— Annesi bunlara göz mü yumuyordu?"

Bay Holloway'in çocukları var mıydı? Kızı var mıydı? Tuhaf bir tasasızlık içinde konuşuyor, omuzlarını silkiyordu:

"Anneler bu gibi durumlarda her zaman haberleri olmadığını, böyle bir şeyin akıllarına bile gelmediğini söylerler...

— Doğru değil midir dersiniz?"

Polis şefinin ne düşündüğünü Ashby o akşam öğrenemeyecekti; konuşmanın tam bu yerinde kapı sertçe itilerek açıldı. Önden yürüyen Lorraine Sherman öyle bir hızla içeri girdi ki, yerinden kalkmış olan Bay Holloway'in önünde –hızını alamayıp onu devirmesine ramak kala– güç durabildi. Arkasından içeri giren Christine'in kolları, kucağı bir sürü paketle doluydu. Bir an bir karışıklık oldu ortalıkta. Ashby mırıldandı:

"Bay Holloway, bölge polisi şefi.

— Coroner'la görüşmüş durumdayım. Bunun yeterli olduğunu sanırım."

Kötü yürekli bir kadın olmasa gerekti, ama bugün istimi gelmiş, hiçbir şeyin durduramayacağı ya da geriye doğru yürütemeyeceği bir makineyi andırıyordu.

"Bayan Sherman'ı rahatsız etmek niyetinde değilim, demekle yetindi, nasıl olsa kalkacaktım."

Kadınların her birinin önünde eğiliyor, Ashby'ye elini uzatıyordu.

"Size söylediğimi unutmayın!"

Katz'ların kapısı önünde koca koca lambaların ışığı altında çalışan kilitçilere bakmak için eşikte durakladı. Bu sakıntı karşısında güleceği geliyordu.

༺ ༻

"Lorraine bizi bu akşam bırakıyor, biliyor musun?"

İncelik göstermiş olmak için Spencer haykırdı:

"Yok canım!

— Ya... Daha gelirken buna karar vermişmiş..."

Christine elindeki paketleri mutfak masasının üzerine bırakıyor, buzdolabını açıyor, salamları, sucukları, dondurmayı raflara diziyordu.

"Ryan'ın yanında kırk beş dakikaya yakın bir süre kaldı.

Adam Bella'nın sözünü ederken edepsizlik yapmış galiba..."

Lorraine sabrı taşmış, her zamankinden çatlak bir sesle:

"Bırak şunu!" diye Christine'in sözünü kesti. "Densiz, küstah herifin biri o. Zavallı bir kızcağız öldü diye..."

Şişeyi daha odaya girerken görmüştü; artık kimseden bir şey istemiyor, polis şefinin bardağıymış, değilmiş, umursamadan doldurup içiyordu.

"Bütün erkekler öyle domuzdur zaten. Unutmamışsındır Christine... Lisedeyken de sana aynı şeyi söylerdim. Erkekleri ilgilendiren tek bir şey vardır bu dünyada, onu bir kez ele geçirdiler miydi, kalkarlar, onlara boyun eğdiğin için çıkışmaya başlarlar..."

Sanki doğrudan doğruya bir suçu varmış gibi, Ashby'ye yerici bir bakışla uzun uzun baktı.

"Aşk dedikleri şey bir kirletme gereksinimidir onlar için. Başka bir şey değil. İnan bana, ne söylediğimi biliyorum. Böylelikle kendi günahlarından arınır gibi olurlar; daha bir temize çıkmış gibi gezerler ortalıkta..."

Viskisini bir dikişte yuvarladı, yüreği kabardı; Ashby'nin güleceğine emin, ona baktı. İşin tuhafı, oturma odasının ortasında bir kule gibi dikilip dururken ağırbaşlılığını yitirmiyor, sarhoşluğu onu gülünç kılmıyor, mutfakta paketleriyle uğraşan Christine'e bile işini bıraktıracak, onu kendisine baktıracak ölçüde etkili olabiliyordu.

"Sarhoş olduğum için böyle konuştuğumu düşünüyorsun, değil mi?

— Hayır Lorraine.

— Bana bak, canın nasıl isterse öyle düşün, umurumda

değil, Birazdan kızımla birlikle New York trenine bineceğim. Ölü olduğuna göre benimle aynı vagonda bulunmayacak. New York'ta, yeniden yola çıkabilmek için sabahı beklemek gerekecek. Bizim oraya varınca da, bir sürü meraklı trenden inişimizi seyretmek için toplanacak."

Düşünür gibi durdu.

"Babası da oraya gelir mi acaba?"

Babası derken sesinde, söyleyişinde bir tiksinme vardı.

"Trenim kaçta kalkıyor demiştin?

— Dokuzu yirmiüç geçe, Yemek yedikten sonra bir saat dinlenecek kadar da vaktin var.

— Dinlenmem gerekli değil. Dinlenmek istemiyorum."

Kaşlarını çatmış, ansızın dikkatle Ashby'ye bakmaya başlamıştı.

"Hem ben bu eve ne diye geldim sanki?

— Niye öyle söylüyorsun Lorraine?

— Öyle düşündüğüm için öyle söylüyorum. Kocandan hoşlanmıyorum."

Spencer incelikle gülümsemeye çalıştı, kendini toparlamaya uğraştı, sonunda, kalkıp işliğine doğru yürüdü.

"Sahtekâr adamın biri olduğunu biliyordum zaten. Ondan bahsetmeye başladım, hemen kalktı gitti.

Christine patlamamak için kendini güç tutuyor olmalıydı. Kavga çıkarmanın, karşılıklı sitem etmenin sırası değildi. Lorraine'in kızı ölmüştü, unutulacak bir şey değildi bu. Uzun, sıkıntılı bir yolculuk yapmıştı. Ryan, bildikleri Ryan ise, çirkin sorularını Lorraine'den esirgememiş olacaktı.

Bella evlerinde ölmüştü, bu ölümden hemen hemen onlar suçluydu.

Bella'nın annesi içmeyip, ağzına geleni söylemeyip de ne yapacaktı sanki?

Ama tam Spencer işliğinin kapısını ardından örterken, arkasından bir taş atar gibi:

"Öyleleri en kötüleridir diye bir söz söylemesi nedendi acaba?"

İKİNCİ BÖLÜM

I

Spencer bunun artık bir alışkanlık haline geldiğinin farkındaydı, bu yüzden de kahroluyordu. Christine'in de bu havaya uyduğunu görmek ayrıca kahrediciydi. Anladığı apaçıktı. Christine'in... İkisinin de fesatlığı öylesine kolay belli oluyordu ki...

Christine çarşıya gitmek üzere ya da herhangi bir başka nedenle sokağa çıktığı zaman Spencer, ininden fırlayan bir hayvan gibi işliğinden çıkmayı niye gereksiyordu? İninin çevresindeki evde in cin top oynamaya başlayınca kendini artık güven içinde hissedemiyor muydu?

Sanki bir baskına uğramaktan, beklemediği bir yerden gelen bir tehlikeyle karşılaşmaktan korkuyordu. Gerçekte öyle değildi. Salt sinirsel bir tepkiydi bu. Yine de yalnız kaldığı zamanlar, yolu bir baştan bir başa görebildiği oturma odasında oturmayı yeğliyordu.

Her sabah önüne odun yığdığı ocağın karşısında hep aynı yerde oturuyordu artık. Bu odunları yığdığını gören, Spencer'ın bir türlü ısınamaz hale geldiğini düşünürdü.

Arabanın yokuş yukarı tırmandığını işitir işitmez pencereye yaklaşıyor, Christine'in onu göremeyeceği bir köşede bek-

liyordu. Christine hazırlanacak vakit bulmadan önce yüzü-
nün ifadesini görmek, yakalamak istiyordu... Christine de öte
yandan, Spencer'ın onu gözetlediğini biliyor, aşırı doğal, aşırı
umursamaz bir ifade takınıp arabadan iniyor, merdivenden
çıkıyor, ancak kapıyı açtıktan sonra Spencer'ın farkına varmış
gibi davranıyor, şen bir sesle soruyordu:

"Kimse gelmedi ya?"

Bu oyunun kuralları vardı; ikisi de bu kuralları daha yet-
kin bir hale sokmak için her gün yeniden çaba gösteriyorlar-
dı.

"Hayır. Kimse gelmedi.

— Telefon eden?

— Yok."

Spencer, Christine'in ancak sıkıntısını belli etmemek, içini
ezen sessizliği birtakım seslerle doldurmak için öyle konuştu-
ğuna inanıyordu artık. Eskiden durup dururken konuşmaya
Christine yeltenmezdi çünkü.

Nerede duracağını, nereye oturacağını bilmeyen bir insan
gibi karısının ardından mutfağa giriyor, Christine'in aldığı
öteberiyi buzdolabına yerleştirmesini seyrediyor, her defasın-
da yüzünde bir heyecan belirtisi bulmaya çalışıyordu. Sonun-
da başka yana bakarak:

"Yolda kimlere rastladın? diye soruyordu.

— İnan kimseye rastlamadım.

— Olur iş değil! Sabahın onunda bakkalda kimsecikler
olmaz olur mu?

— Özellikle üzerinde durulacak kimse yoktu demek isti-
yorum. Dikkat etmedim diyelim istersen...

— Yani kimseyle konuşmadın mı?"

İki ağızlı bir bıçakla oynuyorlardı. Christine bunun farkındaydı. Spencer da bunu biliyordu. Durum bu yüzden öyle dikkat isteyen bir hal alıyordu ya... Tek bir kimseyle olsun konuşmadığını kabul edecek olsa, Christine'in utandığını yahut konu komşunun onunla konuşmaktan kaçındığını çıkaracaktı Spencer. Yok, biriyle konuştuysa, o halde konuştuğunu niye hemen söylemiyor, konuşulanları hemen anlatmıyordu?

"Lucille Rooney'i gördüm mesela. Kocası önümüzdeki hafta dönecekmiş...

— Neredeymiş ki?

— Chicago'da canım, biliyorsun... Patronları onu üç ay önce Chicago'ya göndermişlerdi ya..

— Özellikle bir şey söylemedi mi?

— Kocasının dönmesine sevindiğini, bir daha gönderilirse onunla birlikte oralara gideceğini söyledi sadece...

— Benden söz etmedi mi?

— Hiçbir şey söylemedi.

— Hepsi bu kadar mı?

— Bir de Bayan Scarborough'u gördüm, ama ona ancak uzaktan selam verdim.

— Niye? Dedikoducu bir kadın da ondan mı?

— Yok canım. Mağazanın öbür ucunda duruyordu da ondan; bense kasabın önündeki sıradan çıkmak istemiyordum..."

Christine sakinliğini koruyor, hiçbir sabırsızlık belirtisi göstermiyordu. Spencer neredeyse karısının bu tatlılığına sinirlenmeye başlayacaktı. Christine'in eninde sonunda kendisini olduğu gibi göstereceğini, içindekileri açığa vuracağını, çileden çıkacağını umuyordu. Yoksa karısı ona hasta diye mi bakıyordu? Yoksa kocasına karşı hazırlanan düzen üzerine, belli ettiğinden daha mı çok şey biliyordu?

Spencer kendisine eziyet edileceği düşüncesine kapılmış, kafasında mantıksız düşünceler kurma hastalığına tutulmuş değildi.

Anlamaya başlıyordu, o kadar.

Christine'den cumartesi sabahı şüphelenmeye başlamıştı. Karısı o ara çarşıdan dönüyordu. Yol pek kaygandı, Spencer pencereden bakmışsa bundan ötürü bakmıştı. İlk kez olarak... Ama yaptığının bilincindeydi her halükârda. Sokağa çıkıp karısının paketleri taşımasına yardım etmeyi düşünmüştü. Christine arabanın kapısını kapıyordu –Spencer pencereden ilk kez baktığı için, onun orada olduğunu bilmiyordu– kocasını görmemişti daha; birden evin duvarında bir yere, kapının yanıbaşında bir yere bakmıştı; ansızın sarsılmış, sararmış, kendini toparlamak için şöyle bir duralamış gibi gelmişti Spencer'a...

Sonra başını kaldırmıştı Christine, Spencer'ı pencerede görmüştü; işte o zaman bir şey olmuştu, gereğinden de çabuk, hazır tutuluyormuş gibi bir şey: Christine'in dudaklarında bir gülümseme belirmişti, bu gülümseme eve girdikten sonra bile silinmemişti yüzünden.

"Ne gördün?

— Kim? Ben mi?

— Sen ya...

— Ne zaman?

— Demincek, eve bakarken...

— Ne görmüş olabilirim ki?

— Biri sana bir şey mi söyledi?

— Yok canım. Hem niye soruyorsun? Ne söyleyeceklermiş bana?

— Şaşalamış, çarpılmış gibi bir halin vardı.

— Belki de soğuktandır... Arabada ısıtmayı çalıştırmıştım, kapıyı açınca soğuk birden çarpmış olacak..."

Doğru değildi. Az önce Katz'ların hizmetçilerinden birinin de evlerinin belirli bir noktasına bakıp durduğunu görmüştü. O ara buna dikkat etmemişti, hizmetçi kızın, oralarda dolaşan bir kediye baktığını düşünmüştü. Ama şimdi kuşkulanıyordu.

Başına şapkasını giymeden, sırtına bir şey almadan, ayağına lastiğini bile geçirmeden dışarı fırladığında Christine onu tutmaya çalışmıştı; buz tutmuş merdivenden inerken neredeyse ayağı kayıp, düşecekti.

Görmüştü sonra. Kapının sağında, köşe taşında, herkesin iyice görebileceği bir yerde, katranla yazılmış kocaman bir K harfi vardı. Katran biraz akmıştı da... O harfi daha çirkin, daha kötü, daha uğursuz kılmıştı. Tabii ki, filmin afişindeki gibi, Katil demekti bu!

Karşıki evin hizmetçileri görmüştü bu harfi. Sheila Katz da görmüş olacaktı. Evin içine alarm düzenini, kapılarına yeni kilitleri yerleştirdikten sonra kocası hemen gitmişti. İşin tuhafı o günden beri Spencer Sheila'yı hemen hemen hiç görmemişti. Yüzünü artık görmüyordu. Pencerenin yakınlarında değildi. Ara sıra odanın diplerinde yüzünü yandan şöyle bir görüyor, biçimini fark ediyordu...

Katz karısına pencereden dışarı bakmayı, kendini başkalarına göstermeyi yasaklamış mıydı? Bu davranış, doğrudan doğruya Ashby'yi mi amaçlıyordu? Karısına, komşuları üzerine bir şey söylemiş miydi?

Koca Bay Holloway keşfini bir gün önce, yani cuma günü yapmıştı. O gün öğleden sonra yine güya uğramış, oturma odasında uzunca bir süre oturmuş, cinayetten çok havadan sudan, bir gün önce akşamüzeri Michigan'da olan tren kazasından konuşmuştu. Sonunda içini çekip kalkmış:

"Bayan Sherman'ın odasında biraz kalmama izin vermenizi isteyeceğim yine, kusura bakmayın, demişti... Yavaş yavaş bir alışkanlık haline getiriyorum bunu, değil mi? Her defasında, bugüne dek gözümüzden kaçmış olan bir ipucunu bulacakmışım gibi geliyor..."

Odada o kadar uzun süre ses çıkarmadan, belki de –hiçbir kıpırtı duyulmadığına göre– yerinden bile kımıldamadan kalmıştı ki, sonunda Ashby işliğine dönmüştü. Christine mutfakta ütü yapıyordu. Evin bütün ışıkları yanıyordu.

Okuldan evine gönderildiği günden beri ne tornasına, ne marangoz tezgâhına el sürmüştü. Eskiden birkaç boş günü olması için can atar, bu günler içinde uzun bir çalışmayı gerektirecek bir işe başlamayı kurardı; şimdi ise sabahtan akşama dek yapacak işi yoktu, ama bu uzun soluklu işe girişmeyi aklından bile geçirmiyordu. Yapa yapa raflarla gözleri biraz düzene sokmaktan başka bir şey yapmamıştı. Bir de, kâğıt parçalarına birtakım notlar almaya, adlar, yarım yamalak tümceler yazmaya, tek çizgili resimler çizmeye başlamıştı; bunların anlamını bir tek o anlayabilirdi, o da gerçekten anlıyorduysa...

Bir sürü kâğıt doldurmuştu bugüne değin. Bunların birkaçını yırtmıştı, ama notların birkaçını da temize çekmişti.

Kapı vurulunca hemen girin, diye seslendi, gelenin Bay Holloway olduğunu biliyordu; üstelik onunla konuşmak da istiyordu canı; zaten iki bardak hazırlamıştı; bir gelenek doğmaya başlıyordu.

"Oturun. Bana iyi akşamalar demeden gitti mi diye merak etmeye başlamıştım... Doğrusu gücenirdim öyle olsaydı."

Viskiyi doldurdu, buzunu koydu; bir yandan yaşlı polise bakıyor, bir yandan da yetip yetmediğini bilmeden, bardağına soda koyuyordu.

"Sağ olun. Yeter... Bir bilseniz... Ben bile şaştım; aldanmamışım meğer..."

Bay Holloway bardağı elinde, eskimiş bir terlik kadar insana rahatlık veren eski meşin koltuğa gömülmüş, bacaklarını uzatmıştı.

"Ta başından beri, belirli bir nedeni olmaksızın, bu işte beni tedirgin eden bir şey vardı. Sanırım size o zaman söylemiştim, bu sorunun çözümünü hiçbir zaman bulamayacağız diye düşünüyordum. Bugün daha iyimser değilim, ama hiç değilse bir noktayı aydınlatmış durumdayım. Böyle söylemek uygun düşerse, bu odanın bize daha birçok şey öğreteceğini düşünüyor, buna inanıyordum."

İçini çekerek yelek cebinden ufak bir nesne çıkarıp sehpanın üzerine, Ashby'nin önüne koydu; yüzüne hemen bakmadı, bu konuda bir yorum yapmadı; bardağına bakıyor, viskisini ağır ağır yudumluyordu.

Sehpanın üzerinde duran nesne evin üç anahtarından biriydi.

Ufak tefek polis neden sonra:

"Anahtarınız yanınızda, değil mi? diye mırıldandı... Karınızınki de yanında. Bella Sherman'da da bir anahtar vardı; benim şimdi bulduğum anahtar onun anahtarı demek..."

Ashby'nin kılı kıpırdamadı. Sesini çıkarması, bir şey söylemesi gerekmezdi ki... Saklayacak bir şeyi yoktu, korkacak bir şeyi yoktu. Sadece Holloway'in yüzüne bakmaktan çekinmesi canını sıkıyor, bu yüzden nasıl davranması gerektiğini bilemiyordu.

Anahtarın bulunması bu konuda duyulabilecek şüpheleri artırıyor muydu?

"Anahtarı nerede buldum, biliyor musunuz?

— Odada bulduğunuzu anlattınız ya...

— Daha önceki araştırmalarımda taramadık köşe bırakmamış olduğumu sanıyordum. Öte yanda uzmanlar da, Teğmen Averell'ın adamları da aranmadık bir yer bırakmamış olmalılardı. Oysa demin odanın ortasında otururken, bir rafın üzerinde, kitapların arasına sıkıştırılmış siyah bir el çantası gözüme ilişmez mi?... Bu çantayı gördünüz mü hiç?

— Evet, biliyorum o çantayı. Bella'nın iki çantası vardı; biri bu şimdi gösterdiğiniz süet çantaydı, süslendiği, bir yerlere gittiği zaman yanına aldığı çanta... Öbürü de her gün kullandığı deri bir çantaydı...

— İşte, anahtar siyah çantanın içinde duruyordu!"

Ashby'nin aklına Bayan Katz'ın verdiği ifade geldi. Holloway karşısındakinin bunu düşündüğünü anladı. Polisin bundan sonra söylediği söz besbelli bu ifadeye değgindi:

"Tuhaf, değil mi?"

Ashby karşı çıktı... Yanlış mı yapmıştı acaba?

"Bayan Katz Bella'nın adama verdiği nesneyi gördüğünü söylemedi hiçbir zaman, unutuyorsunuz... Aklımda yanlış kalmadıysa kadın, Bella'nın adama verdiği nesnenin bir anahtar olabileceğini düşündüğünü söylemişti. Gördüğü kadının Bella Sherman olduğunu bile kesinlikle söyleyemedi.

— Biliyorum. Belki de gördüğü gerçekten Bella'ydı, ama verilen nesne besbelli ki bu anahtar değildi. Hem sahi, o gece Bella hangi çantasını almıştı yanına, farkında mısınız?"

Ashby bütün içtenliğiyle hayır, diye karşılık verdi. Bilmiyordu. Bu noktanın önemli olduğunun farkındaydı Yalan söylemek istese söyleyebilirdi. Bay Holloway'in işliğe girdiği andan beri kendisine her zamankinden başka türlü baktığını görüyor, anlıyordu; polisin gözlerinde, Ashby'ye acıyormuş gibi bir anlatım vardı.

"Saat dokuz buçuğa doğru, sözümona sinemadan döndüğü zaman ona kapıyı açmamış olduğunuzu iyi biliyorsunuz, değil mi?

— Bu odadan dışarı çıkmadım ben. Onu o üç basamağın en üsttekinde ansızın gördüm, şaşaladım.

— Sırtında mantosu, başında beresi varmış... O halde çantasının da elinde olması hemen hemen kesin gibi bir şey...

— Olabilir.

— Odasındaki sehpanın üzerinde, açıkta başka bir çanta

bulunduğu için o gece o çantayı yanına aldığı düşünülmüştü... O çantanın içinde de anahtar bulunmadığına göre Bayan Katz'ın düşündüğünün doğru olduğu sonucu çıkarılmıştı. O andan sonra bütün düşünceler o noktadan yola çıktı, o yönde gelişti...

— Şimdi ise?...

— Belli ki bir yerde bir yanlışlık yapılmış... Çirkin bir iş bu Bay Ashby, üzücü bir iş... Keşke hiç öyle bir şey olmasaydı da ben de, siz de rahat etseydik... Hem galiba bu anahtarı bulmasaydım daha iyi olurdu. Bu anahtar bizleri nereye götürecek daha kestiremiyorum, ama birtakım adamların istedikleri yolda birtakım sonuçlar çıkaracaklarını görür gibi oluyorum. Anahtar evde olduğuna göre, Bella'nın gidip kapıyı katiline kendi eliyle açmış olması gerekir...

— Anahtarı adama kapının dibinde vermekten daha mı şaşılacak bir şey sanki bu?

— Ne demek istediğinizi anlıyorum. Ama göreceksiniz, adamlar bu olayı bambaşka bir yoldan giderek yorumlayacaklardır."

Kalkmış gitmişti sonra; ama yaptığını beğenmemiş gibi bir hali vardı.

K harfi taşın üzerine o gece, yani gazetelerin anahtar işinden bahsetmelerinden önce yazılmış olacaktı. Çocuk işi değildi bu. Önce bir teneke katran bulmak, bir fırça edinmek gerekirdi; sonra don olduğu halde evinden çıkmak –yakınlarda herhangi bir arabanın durduğunu duymadıklarına göre– bütün yolu yürümüş olmak gerekirdi...

Cumartesi günü, Christine'le yaptıkları o konuşmadan

sonra, evin duvarına yazılmış harfin görülmesinden sonra, bir de çocuklar çıkmıştı ortaya. Her cumartesi günü bir sürü çocuk sokakta oynardı. Kar yağdığı zamanlar kızaklarını alır, Ashby'lerin yoluna değil, eğimi daha uygun olan bir öteki yola gider, kayarlardı. Demek o günü Ashby'lerin evinin önünde geçirmeleri bile bile yaptıkları bir şeydi. Zaten pencerelere bakıp durmalarından, birbirlerini dirsekleriyle dürtmelerinden, gizli birtakım şeyler konuşuyormuş gibi fısıldaşmalarından belliydi öyle olduğu...

Ashby alışkanlıklarını değiştirmek istememişti. Normal zamanlarda ancak nezle olduğunda, üşüttüğünde, evde birkaç gün kalır, sokağa çıkmazdı; o günlerde de oturma odasının ocağı ile işliği arasında adımını sürüyerek gider gelirdi. Şimdi de aynı biçimde davranıyor, ağzında piposu, ayağında terliği gidip geliyor, bilinçsiz olarak, bir çeşit taklitle, hasta halleri takınıyordu.

Üç dört kez başını sokağa doğru çevirince, cama yapışmış bir çocuk yüzüyle karşılaşmıştı...

Çocukları kovmaya kalkmamıştı. Christine de giriştikleri oyunu fark etmişti, ama onları o da kovmamıştı. O da kocası kadar, çocukları kovmaya kalkışmamanın daha iyi olacağını biliyordu. Sadece başkalarıyla konuşurken değil, onunla konuşurken de hiçbir şey olmamışçasına davranıyor, hemen her gün ya bir kurul oturumuna, ya bir çaya, ya bir yardımseverler toplantısına gitmekten geri kalmıyordu.

Yalnızca Spencer'a öyle geliyordu ki Christine, ancak gerektiği ölçüde dışarıda kalıyor, gereksiz yere bir dakika bile oyalanmıyordu.

"Kimse bir şey söylemedi mi?

— Ancak yardım işlerini konuştuk, başka bir söz açılmadı."

Spencer Christine'e inanmıyordu. Ona inanmıyordu artık. Yazı masasının üzerinde duran kâğıtlara karalanmış notlar arasında bir tanesi:

"Christ de mi?" diyordu.

İsa'yı[5] kast etmiyordu bu nottaki "Christ" sözü, karısıyla ilgiliydi. Bu notun anlamı şuydu:

"Öbürleri gibi o da benim suçlu olduğumu mu düşünüyor?"

Gazeteler böyle bir varsayımı ileri sürmüş değildi. Ama her gün bir ya da birden çok varsayımı hesaptan düştükleri için olanaklar alanı gitgide daralıyordu.

Sorguya çekilen delikanlıların hepsi, öldüğü akşam ya da gece Bella'yı görmemiş olduklarını söylüyorlardı. Wilburn'ün otopsiden vardığı kanıya göre Bella o gece saat birden önce ölmüştü. Christine o saatlerde eve dönmemiş olduğuna göre de Ashby'nin yaptıklarına tanıklık edecek kimse yoktu. Oysa delikanlıların hepsi o gece ne yaptıklarını kanıtlayabiliyorlardı. Sinemadan sonra evlerine dönmeyenler azdı, bunlar da bir arada oturmuş, sandviç ya da dondurma yemişlerdi.

Onlara özel yaşayışları üzerine sorular sorulmuştu; gazete tuhaf birtakım ifadeler seçip kullanarak bu sorulara verilen yanıtları bildiriyordu.

"Sorguya çekilen delikanlılardan ikisi Bella Sherman'la ol-

---

[5] Christ, İngilizcede İsa anlamına gelir.

dukça sıkı fıkı ilişkiler kurmuş olduklarını itiraf etmişlerdir. Ancak bu ilişkilerin rastlantısal olduğunu üsteleyerek belirtmişlerdir."

Ashby yazı masasının üzerinde duran kâğıtlara bu konuda da birtakım adlar karalamıştı. Bella'yla gezmiş olanların hepsini tanıdığını sanıyordu. Birçoğu eski öğrencisiydi; arkadaşlarının ya da görüşüp konuştuğu birtakım kimselerin oğullarıydı hepsi...

Bu sorgulan kim yapmıştı acaba? Ryan yapmış olmalıydı; çünkü Lorraine'le birlikte Litchfield'e gittiği gün Christine, Ryan'ın bekleme odasında yöreden delikanlıları gördüğünü söylemişti.

Gazete muhabiri *oldukça* yakın ilişkilerden söz ederken ne demek istiyordu?

İşliğinin sessizliği, yalnızlığı içinde Spencer bu konuları kafasında evirip çeviriyordu. Kalemi elinde oturuyor, saçını karıştırıp duruyordu; eskiden sınavlarına hazırlanırken sabahladığı gecelerde yaptığı gibi... Farkına varmadan kâğıtlara birtakım çizgiler çizmeye başlıyor, sonra birtakım sözler yazıyor, ara sıra bir adın yanına bir işaret konduruyordu.

Oldukça yakın derken herhalde otomobil serüvenleri anıştırılıyordu. Adı geçenlerin hepsi babalarının arabasını kullanabilecek durumdaydı. Bella'yı *Little Cottage* gibi barlara götürmeleri hemen hemen olanaksız bir şeydi; yaşları küçük olduğu için oralarda kendilerine hiçbir şey verilmezdi. İşte böyle durumlarda yanlarına bir şişe alırlar, yol kıyısında bir yerde dururlardı. *Rastlantısal* sözünü bunun için ekliyorlardı o tümceye...

Böyle işler her akşam olurdu. Bunu herkes bilirdi, anneler babalar da... Ama bilmezlikten gelmeyi daha uygun bulurlardı. Böyle gezintilere çıkan kızların ebeveynleri arasında hâlâ işin içyüzünü bilmeyenler, aldananlar var mıydı acaba?

Evin içinde en ufak sesleri, gürültüleri ayırt eder olmuştu. Ancak hiçbir ses duyulmadığı, çevresini bir sessizliğin aldığı zamanlar meraklanıyor, Christine'in birileriyle fısıldaştığını ya da kendisine karşı bir düzen hazırlandığını kurarak işliğinden dışarı atıyordu kendini.

Bay Holloway haklıydı: Pek tatsız bir işti bu. Biri Bella'yı boğmuştu. Her geçen günle birlikte bu cinayeti işleyenin bir serseri, başıboş biri olmadığı daha iyi anlaşılıyordu. Böyle adamlar dikkati çeker geçtikleri yerlerde... Connecticut'ın yollarında dolaşan bütün serseriler polisçe sıkıştırılmıştı.

Cinayeti işleyen Ashby de olmadığına göre –gerçekte suçsuzluğunu kesinlikle bilen sadece kendisiydi– Bella'yı öldüren, kızın kendi eliyle eve aldığı biri olmalıydı; yani bu adam, ahbapları, tanıdıkları arasında bulunsa gerekti.

Spencer'ın kâğıtlara bir şeyler karalamasının bir nedeni de buydu. Polis o güne değin sadece delikanlılara ilgi gösterir görünmüştü. Spencer ise evli adamları da getiriyordu aklına. O gece karısı evde olmayan tek erkek Spencer değildi herhalde. Hatta bunlardan birkaçı, karı koca ayrı odalarda yattıkları için, kimseye sezdirmeden pek geç de dönebilirdi evine...

Ölümünden bir hafta önce Bella ile "hoş vakit geçirmiş" olduğunu itiraf eden oğlanlardan biri şu sözleri eklemişti söylediklerine:

"Biz onu pek ilgilendirmezdik...

— Niye?

— Bizleri pek genç bulurdu..."

Ashby adları sıra sıra diziyordu. Kokusu işliğine sinmeye başlıyordu.

∽ ∽

Kirli boz renkte, tatsız bir anı bırakan o cumartesi gününden sonra bir bakıma durumlarının saptanmasına yarayan o pazar sabahı gelip çatmıştı.

Pazar sabahları Christine'le Spencer kiliseye giderlerdi. Christine dinine pek bağlıydı; kilise işleriyle uğraşan kadınlar arasında en etkin olanlarından biriydi; beş haftada bir sıra ona gelince kiliseyi o süslerdi pazar ayini için.

Giyinirlerken bu işi açmaktan çekinmişti Spencer, sonra bu son zamanlarda pek alıştığı bir kaçamaklı bakışla mırıldanmıştı:

"Evde kalmam daha iyi olmaz mı dersin? "

Christine, Spencer'ın aklından geçenleri hemen anlayamamıştı.

"Neden? Rahatsız mısın?"

Kesin, açık konuşmak istemiyordu hiç. Christine ona bir kaçamak yapma yolu bile göstermiş gibiydi, ama bundan yararlanmak tiksindirici bir iş olurdu.

"Bana göre hava hoş, ama öbürleri... Belki de benim kiliseye gelmemi istemezler... Okulda olanları düşünsene bir kez..."

Söz konusu olan dindi; Christine işi hafife almamıştı, papaza da telefon etmişti bundan ötürü. Spencer'ın kendini boşu boşuna üzmediği, Christine'in bu davranışından da belli olmuyor muydu? Papaz da karşılık vermekte güçlük çekmişti.

"Ne dedi?

— Ayine gelmemen için herhangi bir sebep olmadığını söyledi. Meğerki...

Christine dudaklarını ısırmış, kızarmıştı.

"Meğerki suçlu olayım, öyle mi?"

Bu durumda gitmek zorunda kalmıştı. Ama istemeye istemeye. Gitmekle yanlış bir iş yaptığını, kilisede –hiç değilse o gün için– yeri olmadığını hissediyordu. Hava yumuşamıştı, karlar kirlenmişti, çatılardan iri iri damlalar düşüyordu; arabalar, hele tekerlekleri zincirli olanları, iki yana yığın yığın sulu karlar fışkırtıyordu.

Christine'le Spencer sıralarına –soldan dördüncü sıraydı onlarınki– oturduklarında hemen hemen herkes yerine geçmiş durumdaydı. Ashby daha o an çevresinde bir boşluk hissetmişti. Bu boşluk duygusu öyle belirgindi ki, Spencer'a sorulsa, Christine de bunu hissetmemezlik edemezdi. Spencer daha sonra bu konuda bir şey söylemedi Christine'e. Christine de, öte yandan –o günkü dinsel öğüdün sözünü etmekten çekindiği gibi– bu konuyu açmaktan çekinmişti.

Spencer papazın onu kiliseye çağırırken gizli bir düşüncesi olup olmadığını merak ediyordu. O pazar günü papaz öğüdünün konusu olarak XXXIV. mezmurun 22. dizesini seçmişti:[6]

---

[6] Aslında 21. dizedir: "Kötüyü şer öldürür; / Ve salihten nefret edenler mahkûm olur."

Kötülük kötülerin ölümüne yol açar

Doğrucudan tiksinenler de cezalarını bulur.

Ama papaz konuşmaya başlamadan çok önce Ashby'ye – hiç değilse bir süre için– topluluktan dışlanmış gibi gelmişti. Belki de gerçekten bir dışlanma değildi bu... Belki de öbür insanlarla artık gönül birliği hissetmeyen oydu...

Onlara karşı durur gibiydi; işin doğrusu buydu. Çevresinde üç yüz kadar kişiydiler; her pazar günü yaptıkları gibi bugün de her biri yerinde duruyor, her biri bayramlıklarını giymiş, sayısı tahtaya yazılı olan ilahileri söylüyordu; ağdalı müziğiyle harmonyum da sesleri destekliyordu. Christine toplulukla birlik içindeydi, öbürleriyle aynı anda ağzını açıyordu; gözlerinde aynı bakış, yüzünde aynı anlatım vardı.

Spencer da yüzlerce pazar sadece bu kilisede değil, okulun şapelinde de, okuduğu öbür okulların kiliselerinde de, kendi köyünün kilisesinde de ötekilerle birlikte ilahiler söylemişti. İlahinin dizeleri, ezgisi, dudaklarına kendiliğinden geliyordu, ama içinden duya duya söyleyemiyor, çevresine soğuk bir bakışla bakıyordu.

Hepsi aynı yöne dönmüş, aynı gizemsiz ışık içinde duruyordu. Spencer onlara bakmak için başını çevirdikçe kıpırtısız yüzlerinde gözlerinin, sadece gözlerinin oynadığını görüyordu.

Onu suçlamıyorlardı. Onu taşlamıyorlardı. Ona hiçbir şey demiyorlardı. Belki de gerçekte yıllar boyunca Spencer'ın varlığına ancak katlanılmıştı. Burası kendi köyü değildi. Burası onun kilisesi değildi. Buradaki ailelerin hiçbiri Spencer'ın ailesini bilmiyor, buradaki mezarlıkta atalarının hiçbiri yatmıyordu, soyunun adını taşıyan tek bir gömüt, tek bir kilise kütüğü yoktu.

Yüzüne çarptıkları bu değildi. Yüzüne çarpılan bir şey var mıydı zaten? Belki de Spencer'ı akıllarına bile getirmiyorlardı. Bu hiçbir şey değiştirmezdi ki... İşte oradaydılar, solunda, sağında, önünde, arkasında; Christine'in anladığı anlam da gerçek bir topluluk oluşturuyor, gözlerini ileriye dikmiş bakıyor, köklerinin beslendiği bilinçsiz derinliklerden fışkıran ilahinin dizelerini söylüyorlardı.

Kötülük kötülerin ölümüne yol açar
Doğrucudan tiksinenler de cezalarını bulur.

Bu sözlerden yola çıkan papaz Burke oracıkta, kilisenin içinde, öğüdüyle elle tutulabilecek ölçüde gerçek bir dünya yaratıyordu; buradakilerden her birinin bir parçasını oluşturduğu bir dünya... Doğrucu insanlar artık belirsiz bir düşünce, belirsiz bir kalabalık değildi; Tanrı'nın çevresinde saflarını sıklaştıran bir seçkin halk haline geliyorlardı. Doğru insanlar bunların hepsiydi; önündekiler, arkasındakiler, sağındakiler, solundakiler; ışıltılı gözleri, pembe yanaklarıyla öğüdü dinleyen Christine de bu doğru insanlardan, bu doğruculardan biriydi.

Vicdanları tertemiz olduğu için hepsinin gözleri ışıltılı değil miydi?

Doğru değildi ama bu. Spencer bunun doğru olmadığını biliyordu. Bunu şimdiye değin pek düşünmemişti. O güne değin pazar günleri aklına böyle bir şey hiç gelmemişti; ötekilere benzemiş, onlardan biri olmuştu.

Ama şimdi öyle değildi. Papazın sıtma görmemiş sesinin "kötü" olarak gösterdiği adam Spencer değil miydi?

Kötülük kötülerin ölümüne yol açar

Hepsinin kafasında bu iş apaydınlıktı. Onlar doğru kişilerdi, meşe sıralarına oturmuş, birazdan yeni ilahiler söylemeye başlayacak doğrucu kişiler...

Kötü kişi bu kardeşler derneğine giremezdi, kendi kendisini uzaklaştırırdı onlardan.

Bay Burke bunları, ne söyleyeceğini, ne söylemek istediğini çok iyi bilen bir insan haliyle açıklıyor, öğüdünün, o haftanın acı olayıyla, köyü saran tedirginlikle sıkı ilişkisi olduğunu saklamıyordu.

Gazetelerin sorguları yazdığı gibi konuşuyordu papaz, üstü kapalı bir anlatımla... Ama söyledikleri bir o kadar açık oluyordu...

Topluluk sağlam ise, kötücül ruh durmadan dinlenmeden, doğru kişilere duyduğu kini söndürmek için her türlü kılığa girerek dolaşırdı ortalıkta.

Bu kötücül ruh muğlak bir şeytan falan değildi. Herkesin kendini koyvermeye her zaman hazır olduğu bir varoluş biçimiydi; yaşamın karşısında, yaşamın kurduğu tuzaklar karşısında benimsenen tehlikeli bir davranıştı; birtakım hazlar, baştan çıkarıcı birtakım iç kışkırtıları karşısında bir gevşemeydi...

Ashby artık tümceleri, sözcükleri duymuyordu; sadece geniş ses dalgalanmaları, harmonyumun kabarıp dinmeleri gibi dört duvara çarptıktan sonra gelip kafasında tınlıyordu.

Spencer çevresindeki herkesin papazın sözlerini can kulağıyla dinlediğini biliyordu. Gerçi papaz onları tehlikeye karşı uyarıyordu, ama gönüllerine bir de güven salıyordu. Kötücül ruh güçlü de olsa, ara sıra yener gibi de olsa, zafer yine de doğrucu kişilerindi.

Kötülük kötülerin ölümüne yol açar...

Onlar güçlü, temiz olduklarını hissediyorlardı. Yasa olduklarını, Adalet olduklarını hissediyorlardı. Başlarının üzerinden geçen her yeni tümce onları büyütüyordu; buna karşılık ortalarında duran Ashby daha da kırılganlaşıyor, daha yalnız kalıyordu.

Ertesi gece düşüne girdi bunlar; çevresinde elle tutulur bir boşluk duyduğu için düş daha da kaygılandırıcıydı. Kilisenin boyutları gerçek boyutlarından başkaydı. Papaz öğüdünü okumuyor, harmonyum eşliğinde bir ilahi söyler gibi söylüyordu.

İlahi söyler gibi öğüdünü okurken de ona, bir tek ona, Spencer Ashby'ye bakıyordu... Bunun ne demek olduğunu biliyordu Spencer. Bunun ne demeye geldiğini her ikisi biliyordu. Bir oyundu bu, Christine'le oynadıkları oyun gibi bir oyun; yalnızca ondan daha görkemli, daha korkunç... Söz konusu olan doğrudan doğruya kilisenin arındırılmasıydı, bütün doğrucu kişiler Spencer'ın kiliseden çıkarak kötü kişi olduğunu itiraf etmesini bekliyorlardı...

Çıkar çıkmaz da üzerine çullanıp onu öldürecekler miydi? Taşa tutacaklar mıydı?

Karşı koyuyordu, ama kibrinden değil, namuslu davrandığından. Durumunu tartışıyor, ama ağzını açmıyordu; garip bir histi bu...

Özgürce, sıkıntısızca, onlara şöyle söylüyordu:

"Sizi temin ederim, onu öldüren ben değilim. İnanın bana. Bu işi ben yapmış olsaydım söylerdim."

Neden direniyorlardı? Onlar doğrucu kişilerdi, bundan ötürü de yalan söylemesini isteyemezlerdi ondan... Ya da pek o kadar doğrucu kişiler değillerdi...

Ama gözlerini dikip bakıyorlardı ona... Papaz da onu durmadan sıkıştırıyordu.

"Ben o kıza dikkat bile etmemiştim. İnanmazsanız karıma sorun. Ona inanıyorsunuz siz. Tertemiz, ermiş gibi bir kadındır."

Ama yine de onlar haklıydı. Sonsuza dek tartışıp duramayacağı için itiraf ediyordu. Söz konusu olan Bella değildi, herkes ta başından beri biliyordu bunu, kendisi de biliyordu... Söz konusu olan ilkeydi.

Hangi ilke olduğu önemli değildi. Bu ikincil noktanın aydınlatılması gereksizdi. Zaten aydınlatmak için de herhangi bir istek duymuyordu Spencer, öbürlerinin duymadığı gibi... Sheila Katz'dan ya da Bayan Moeller'in bacaklarından söz açılsın istemiyordu; çünkü o zaman durumu daha da güç olacaktı. Christine için de daha iyi olurdu bu sözün açılmaması...

Düşü nasıl sona ermişti? Bilmiyordu... Ortalık karışmıştı birden. Belki de öbür yanına dönmüştü uykusunda. Daha rahat soluk almış, daha sonra da Sheila'yı görmüştü düşünde... Sheila'nın boynu upuzundu, ipinceydi; dizi dizi inciler sarı-

yordu bu boynu; belki on dizi inci vardı... Spencer bu ger-
danlığın, tarih ders kitabında gördüğü Kleopatra'nın gerdan-
lığının tıpkısı olduğunu ileri sürüyordu.

Elbette doğru değildi bu. Gerçek Bayan Katz'ın boynunda
bir gerdanlık görmemişti hiç.

Üstelik gerçek pazar ayini çok daha başka türlü sona er-
mişti. Sıraları gelip kiliseden çıktıklarında kapıda duran pa-
paz her pazar günü yaptığı gibi, Christine'in de, onun da elle-
rini sıkmıştı. Christine'in elini biraz daha uzunca sıkmış mıy-
dı? Sonra da Ashby'ye, Spencer'ın soğuk bir acıma bakışı di-
yeceği bir bakışla bakmış mıydı gerçekte? Yoksa ona mı öyle
geliyordu?

Rüzgâr esiyordu. Herkes arabasına doğru yürüyordu. Ki-
liseye gelmiş olanların birçoğu ellerini sallayarak selamlaşı-
yordu, ama kendisinden yana sallanan bir el görmedi Spen-
cer...

Bunları karısına açsa ne olacaktı sanki? Spencer'ın ne his-
settiğini Christine anlayamazdı ki... Christine öteden beri
öbürleriyle birlikti. Böyle olması onun için daha iyiydi. Güzel
bir şeydi bu. Doğrusu ya, Spencer de öyle olmak isterdi.

"Hemen dönelim mi eve?"

Konuşmasına bakılsa Christine'in her şeyi unutmuş oldu-
ğu düşünülürdü. Karşılık verdi:

"Nasıl istersen..."

Çoğu zaman eve, yemeğe gitmeden önce, ya bir saat kadar
arabayla dağda bayırda dolaşırlar ya da bir arkadaşlarına gi-
der, aperitif alırlardı. Arabalarına binerken insanların kaş göz
etmeleri, buluşmak üzere sözleşmeleri anlamına geliyordu.

Ama onlarla buluşmak isteyen yoktu. Christine evin biraz boş görüneceğini düşünmüş olacaktı. Sadece ev değil, köy de boş görünecekti. Hiç değilse Spencer için köy her zamankinden boş görünüyordu; o kadar ki, içinde bir kaygı duymaya başlıyordu; dünyanın insanın çevresinde donup kalır gibi olduğu, sonra birden, öldüğü için bunun böyle göründüğü anlaşılan birtakım düşlerin hissettirdiği çeşitten bir kaygıydı bu.

Arabayı çalıştırırken:

"Eh hani, dedi... Bella'nın yaptığını yapan şöyle böyle bir yirmi kız vardı herhalde kilisede..."

Christine karşılık vermedi, bu sözleri duymamış gibiydi.

"Sadece olası değil, kaçınılmaz bir şey böyle olması..."

Christine hâlâ susuyordu.

"Bella'yla yatmış erkekler vardı orada..."

Kötülüğünden yapmıyordu, ama Christine'i bu sessizliğinden, bu öfkelendirici dinginliğinden çıkarmak için Spencer bile bile onu sözleriyle sarsmaya çalışıyordu.

"Katil aramızdaydı."

Christine yüzünü Spencer'a doğru çevirmedi, ama aralarında konuşurken pek seyrek kullandığı, yabancılara da ağızlarının payını vermek istediği zaman çıkardığı renksiz, kuru sesle:

"Yeter artık, dedi.

— Niye yetsin? Ben ancak gerçeği söylüyorum. Papaz bile bunu...

— Susmanı rica etmiştim..."

O gün akşama dek, Christine'in sözüne uyduğu, onu dinleyip sustuğu için yerindi durdu Spencer... Papaz haklı çıkmıştı sanki; kötü kişi doğrucu kişinin karşısında yelkenleri suya indirmişti.

Spencer yaşamı boyunca kimseye kötülük etmemişti. Bill Ryan'ın sorguya çektiği, gazetelerin sözünü ettiği delikanlılar kadar olsun bile... Öğrencilerinden birkaçının on dört yaşında edindikleri deneyim, onun yirmi yaşında edindiği deneyimden çok daha fazlaydı.

Belki de bundan ötürü onlara bu kadar canı sıkılıyordu ya... O sabah böylesine candan ilahi söyleyen bu adamları parmağıyle teker teker çağırmak, şaşırtıcı, utandırıcı sorular sormak gelmişti içinden.

Kaç tanesi yüzü kızarmadan karşılık verebilecekti bu sorulara? Tanırdı onları... Tanırlardı birbirlerini... Niye o halde kendilerinin lekesiz, kusursuz kişiler olduklarına inanır gibi bir halleri vardı?

Yazı masasının üzerinde duran kâğıtlara gidip birtakım adlar çiziktirmeyi sürdürüyordu. Bu adların yanına çizdiği gizemli işaretler günahların bir şifresi gibi duruyordu.

Christine'le Spencer'ın birbirlerine söyleyecekleri bir şey yoktu o pazar. Alışılageldiğinin tersine, o gün onları kimse çağırmamış, onlar da kimseyi çağırmamışlardı. Sinemaya gidebilirlerdi. Öğleden sonra bir gösteri vardı. Belki de Bella'nın son gecesi yüzünden sinemaya gitmeyi düşünmediler.

Birtakım arabalar çıkmaz olduğunu bilmiyormuş gibi bahçe yoluna dalıyordu; pencerelerinden bir sürü yüz merakla bakıyordu. Bella'nın öldüğü evi görmeye geliyorlardı. Christine'le Spencer'ın ne yaptığını görmeye geliyorlardı. Ashby'lere bakmaya geliyorlardı.

O gün saçma bir şey oldu, önemsiz bir olay... Ama Tanrı bilir neden, Ashby bunun etkisinde kaldı. Bir ara, saat üç yahut üç buçuğa doğru, tam ocağın üzerinden tütün tabakasını almak üzere yerinden kalktığında telefonun zili çaldı. Christine'le Spencer ellerini aynı anda uzattılar. Ama telefona ilk yetişen Spencer oldu; ahizeyi eline aldı:

"Alo..." dedi.

Telin öbür ucunda birinin durmakta olduğunu Spencer açıkça hissetti. Kulaklarına, hassas hoparlörün büyüttüğü bir soluma sesi bile gelir gibi oldu.

Bir daha:

"Alo!... dedi. Ben Spencer Ashby."

Gözünü yine dikişine çevirmiş olan Christine başını kaldırdı, Spencer'a şaşkınlıkla baktı.

Spencer:

"Alo!" diye seslendi sabırsızlanarak.

Ama telefon telinin öbür ucunda artık kimse yoktu. Spencer biraz daha kulak verdi, sonra telefonu kapadı. Karısı onu avutmak istediği zaman kullandığı sesle:

"Yanlış numara herhâlde..."

Ama işin doğrusu öyle değildi.

"Ayaktasın Spencer, şu ışıkları da bir yaksan..."

Elektrik düğmelerini teker teker çevirdi, Venedik kepenklerini kapamak üzere pencereye yürüdü. Bunları ne zaman kapasa, karşı evin pencerelerine bir göz atmaktan kendini alamazdı.

Sheila gövdesini bir buğu gibi saran pembelerini giymiş piyano çalıyordu; giysisinin renginde ışıkların aydınlattığı koca odada yapayalnızdı. Ördüğü, başına sıkı sıkı topuz yaptığı saçları kapkaraydı, boynu upuzundu.

"Okumuyor musun?"

New York Times'in pazar sayısını, bütün ekleriyle birlikte hemen eline aldı, ama çok geçmeden gazeteyi bırakıp işliğine doğru yürüdü.

Birtakım adların, yarım yamalak cümlelerin yazılmış olduğu kâğıda:

"Bu adam aklından neler geçirir acaba?" diye yazdı.

Damdan damlayan sular gibi geçti vakit... Sonra yemek yediler, bulaşık makinesinde yıkanan bulaşığın sesi duyuldu, ocağın önündeki koltuğa oturuldu, sonunda da, banyodaki ışık söndürülmeden önce bütün evin ışıkları söndürüldü.

Sonra işte, o düş...

O düşten sonra, ondan daha seçik, daha kısa olan Sheila'lı düş...

Sonra yine gün ışığı.

Christine kendisine bakınca Spencer gözlerini ondan kaçırmaya başlamıştı; Christine de, gözlendiğini duyar duymaz gözlerini indiriyordu.

Neden acaba?

II

O çarşamba günü lambalar sabahtan akşama değin yandı; gökyüzü kapkaraydı, bir türlü boşanamayan bir karla yüklüydü. Ana cadde ile yanındaki birkaç sokakta dizi dizi lambalar ışıldıyordu. Arabaların küçük ışıkları yanıyordu. Dağdan inen birkaç arabanın ise farları hâlâ söndürülmemişti.

Ashby banyo yapmamıştı. Tıraş olup olmayacağına karar verememişti. Bunları yapmamak, kirli kalmak, onca bir çeşit karşı durma anlamı taşıyordu; kendi kokusunu koklamaktan haz duyar oluyordu. Evin içinde hiçbir yerde durmadan aşağı yukarı dolaştığını görünce, Christine kocasının duygularını anlıyor, herhangi bir gürültü çıkmasın diye de olanca dikkatini kullanıyordu.

Spencer hiçbir zaman sormadığı, merak etmediği bir şey sordu:

"Kaçta gideceksin çarşıya?

— Bugün çarşıya çıkmayacağım. Dün iki günlük alışveriş yaptım.

— Sokağa çıkmayacak mısın?

— Sabah çıkmayacağım. Niye? Ne var?"

O zaman ansızın gidip yıkanmaya, pabucunu giymeye karar verdi. İşliğinin kapısı önünden geçerken bir ara girdi, yazı masasının üzerinden artık hiç eksik olmayan kâğıda iki üç sözcük yazdı. Oturma odasına döndüğü zaman telefon çaldı.

Telefonu açtı. Bir gün önceki olayın yineleneceğini hemen bilmişti. Dümdüz, renksiz, bir sesle sadece:

"Ben Ashby." dedi.

Kıpırdamadı sonra. Hiçbir şey konuşulmadı yine. Onu dikkatle süzen karısı hiçbir yorum yapmadı. Spencer, bu telefonun etkisinde kaldığını belli etmek istemiyordu. Ama telefon, evin duvarına çizilen *K* harfi kadar, belki ondan da çok etkileyici bir şeydi.

Telefonu kapatınca:

"Polis efendiler böylece, kaçıp kaçmadığı mı anlamaya çalışıyorlardır belki," diye alay etmek istedi.

Ama bu sözlerine kendisi de inanmıyordu. Christine için söylüyordu bunları.

"Böyle bir şey mi yaparlar sanıyorsun?"

Spencer daha yüksek, ona çatlak gibi gelen bir sesle:

"O halde telefon eden, katildir," dedi.

İşte bu dediğine inanıyordu şimdi. Neden inanıyordu ama? Bilemiyordu. Bu inanç hiçbir akıl yürütmeye dayanmıyordu. Bella'yı öldüren adamla kendisi arasında bir bağ kurulabileceğini düşünmek bu kadar mı tuhaftı? Katil Spencer'ı tanıyan, onu gözlemlemiş olan, belki de hâlâ gözlemleyen bir adamdı. Kişisel güvenlik kaygıları nedeniyle, Spencer'ın karşısına çıkıp ya da telefonu açıp;

"Katil benim!" diyecek de değildi herhalde.

Spencer gidip dolaptan paltosunu, şapkasını aldı, lastiklerini ayağına geçirmek için kapının yanında oturdu.

"Arabayı alıyor musun?"

Christine, Spencer'a nereye gideceğini sormamaya dikkat ediyordu, ama böyle bir soru sormak nereye gideceğini dolambaçlı bir yoldan öğrenmeye yarardı.

"Hayır. Postaneye gideceğim sadece."

Bella öldüğünden bu yana postaneye ancak iki kez gitmişti. Her gün çarşıdan dönerken postaneye uğrayan Christine'di; gazeteleri de o getiriyordu.

"Ben gideyim mi?

— Hayır."

Dediğine karşı gelmemek daha iyi olurdu. Bugün Spencer'ın bildiğini okuduğu bir gündü; Christine daha Spencer'ın kahvaltı etmek üzere mutfağa girdiği an bu halini sezmiş gibiydi. Spencer sokağa çıkmadan önce piposunu doldurdu, yaktı, eldivenlerini giydi; bütün bunları yaparken de Sheila'nın pencerelerini gözledi. Kimseyi göremedi ama... Sheila şimdi kahvaltısını yatağına getirtmiş olmalıydı. Onu bir gün rastlantıyla tavan arasına çıktığında görmüştü; yatağının iki yanında pembe siperli lambalar yanıyordu; bu gördükleri pek etkilemişti Spencer'ı.

Bayırdan indi, sağa, ana caddeye saptı, elektrikli aygıtlar satan bir dükkânın önünde biraz durdu, postanın gelmesinden tam bir çeyrek saat sonra da postanenin sütunlarının karşısına geldi. Şöyle böyle bir on beş kişinin –kentin ileri gelen, postaların gelişini gidişini dakikası dakikasına izleyen on beş kişisinin– postanede toplandığı, postanedeki iki görevlinin zarfları ayırıp kutulara koymasını beklerken de çene çaldığı saatti bu.

O sabah uyandığından beri Spencer o gün bir terslik, bir

kötülük olacağına inanıyordu; belki de bu sıkıntılı duygudan kurtulmak, bu tersliğin bir an önce olup bitmesini sağlamak için oralara gelmişti. Neler olup biteceğini hiç kestiremiyordu; hele bu kötülüğün hangi yönden geleceğini hiç bilemiyordu. Önemi yoktu bilmemenin, çünkü gerekirse bu tersliğe kendi eliyle yol açmaya karar vermişti.

Yine tatsız bir düş görmüştü, kendini kilisede gördüğü düşten de tatsız bir düş... Bu düşün ayrıntılarını aklına getirmek istemiyordu. Bella'yı görmüştü düşünde; odasının kapısını açtığında gördüğü haliyle Bella'yı... Ama tam Bella da değildi bu; yüzü başka birinin yüzüydü, üstelik gerçekten ölmüş değildi.

Crestview'un müdürü Cecil B. Boehme bile her sabah okula gelen mektupları almak için postaneye kendi giderdi. Yolun kıyısında duran arabalardan postanede kimlerin bulunduğu anlaşılırdı. Kimisi de postanın gelmesini beklerken gazete satıcısının oraya girer, dergileri karıştırır, siyasal olayları konuşurdu. Ashby satıcının vitrininde bu saatte lambaların yakıldığını hiç görmemişti şimdiye dek.

Postanenin merdivenlerinden çıktı. İlk bakışta Weston Vaughan'ı gördü. Weston'un karşısında iki kişi vardı; biri Bay Boehme'ydi, öbürü de yöredeki çiftliklerden birinin sahibi.

Ashby, Christine'in kuzenini sevmezdi; Vaughan da, ailenin evde kalmış kızı olacağına inandığı, olmasını beklediği Christine'le evlendiği için Spencer'ı hiçbir zaman bağışlamamıştı. Gerçi Weston'la Christine kardeş çocuklarıydı, ama Senato üyesi Vaughan, Christine'in babasıydı; Weston ise Vaughan'ın ancak yeğeni oluyordu.

Bunun şimdilik önemi yoktu; ancak Spencer, içine doğan şeyin galiba şimdi olacağını bildi, Vaughan'a doğru –gözünü gözüne dikerek, elini uzatarak, hafifçe tepeden bakar gibi bir halle– yürüdü, bile bile.

Weston bu bölgenin ileri gelen insanlarındandı; Attorney'di[7] her şeyden önce, sonra adaylığını koymaya kalkışmadan siyasetle uğraşırdı, ayrıca her şeyin alay edilecek, yerilecek yönünü bulan bir kafası, sözünü esirgemeyen bir dili vardı.

Weston kararını vermekte gecikmedi, uzatılan ele baktı, kollarını kavuşturdu, tiz sesiyle, postanenin her köşesinden duyulacak biçimde:

"İzin verin de, dostum Spencer, bu türlü davranışınızı anlayamadığımı söyleyeyim, dedi. Biliyorum, yurdumuzun liberal yasalarına göre, bir adamın suçluluğu kanıtlanmadıkça o adam suçsuz kabul edilir, ama öyle sanıyorum ki edep diye, saygı diye de bir şey vardır."

Bu söylevi Ashby'ye rastlayacağı anı düşünerek hazırlamış olacaktı; kim bilir belki de günlerce önceden... Şimdi, fırsatı kaçırmıyor, keyifli keyifli sürdürüyordu sözünü.

"Sizi tutuklamamışlar, kutlarım. Ama bir de kendinizi bizim yerimize koymak ister misiniz? Suçlu olmanız olasılığı, diyelim, sadece yüzde on olsun. Elinizi uzatmakla, dostum, bizi yüzde on olasılıkla bir katilin elini sıkma durumun da bırakıyorsunuz demektir... Çelebi insan hemşerilerini böyle bir hale düşürmez. Kendini ortalıkta göstererek birtakım yorum-

---

7 İng. savcı.

lara yol açmaktan çekinir, elinden geldiğince alçakgönüllü davranır, bekler...

"Söyleyeceklerim bu kadar."

Bunun üzerine gümüş tabakasını çıkardı, bir sigara alıp tabakanın kenarına hafifçe vurdu. Ashby yerinden kıpırdamamıştı. Vaughan'dan daha uzun boyluydu, ondan zayıftı. Vaughan birkaç saniyenin –en tehlikeli saniyelerin– geçmesini bekledikten sonra, bu görüşmenin sona ermiş olduğunu göstermek ister gibi geriye doğru iki adım attı.

Seyircilerin beklediklerinin tersine, Spencer Vaughan'a yumruk atmadı, elini bile kaldırmadı. Birkaçı içlerinden, Spencer'ın durumuna üzülüyor olmalıydı. Spencer ise daha hızlı soluk alıp veriyordu; dudağı titriyordu...

Gözlerini indirmedi. Önce Christine'in kuzenine, sonra öbürlerine baktı teker teker; gözlerini Vaughan'a bir daha, bir daha çevirdi; Bay Boehme'ye de baktı, taahhütlü mektuplar gişesinde bir işi varmış gibi yapıp arkasını dönen Bay Boehme'ye...

Başına gelmesini istediği, aramaya geldiği şey bu muydu acaba? Vaughan'ın sağladığı bu doğrulamaya mı ihtiyacı vardı?

Vaughan'a güçlük çekmeden karşılık verebilirdi. Örneğin Christine evleneceğini bildirdiği zaman Weston bu evlenmeye engel olabilmek için yırtınmış, Vaughan'ların parasının öyle olur olmaz küçük Ashby'lere değil, yine Vaughan'lara kalması gerektiği yollu düşüncesini saklamamıştı. Kendi çocuklarının durumunu öyle iyi savunmuştu ki, Christine koşullarını Spencer'ın bilmediği, ama kuzenini yatıştırmışa benzeyen bir vasiyetname imzalamak zorunda kalmıştı.

Ashby'yi kendi evinde bir yabancı durumuna sokan evlenme sözleşmesini de yine Weston kaleme almıştı.

Şimdi de Spencer ansızın soruyordu kendi kendine: Christine'in çocuğu olmayışı, gerçekten evlendikleri zaman yaşının otuzu geçkin olmasından mıydı? Bu konuyu açmaktan her zaman kaçınmışlardı; gerçek belki de Spencer'ın sandığı ölçüde basit değildi...

Daha geçen yıl Vaughan'a elden beş bin dolar verilmişti. Ne karşılığında verilmişti bu para?...

Neye yarardı? Spencer hiç karşılık vermedi, hiçbir şey söylemedi; her birine, ona uzun uzun bakması için vakit bıraktı, sonra da cebinden anahtarlarını çıkararak kutusuna doğru yürüdü.

Kendinden memnundu. Kendisine verdiği sözü tutmuş, günü vakti gelince güç bir durumun üstesinden gelmeyi onurlu bir biçimde başarmıştı... Ama az kalsın, bir hiç yüzünden dayanamayıp bir taşkınlık yapacaktı. Kutusundaki birkaç mektupla broşürün üzerinde bir posta kartı vardı; kart yere düşmüş, resimli yanı üste gelmişti; bu resim kabaca çizilip boyanmış bir darağacından başka bir şey değildi; altına yazılmış yazıyı okumak sıkıntısına girmedi Spencer.

Eğilip kartı yerden alır, bakmadan kocaman kâğıt sepetine atarken biri —orada bulunan on onbeş kişinin içinden sadece biri— gülecek oldu...

Spencer'a göre, postanede olup biten bu olaylar bir savaş ilanı demekti. Bu savaş ilanı nasıl olsa, o yandan değilse bu yandan gelecekti, gelmeliydi... Bundan böyle Spencer'ın içi daha rahat olacaktı... Telaşsız, geniş adımlar atarak karşıya geçti, gazetecinin dükkânına girdi, kimseye selam vermedi, acele etmedi.

Telefon bundan sonra da yine böyle çalacak mıydı karşısına kimse çıkmadan? Merak ediyordu. Bella'nın katilinin olup bitenden haberi var mıydı? Postanede miydi o sırada?

Gazeteler koltuğunun altında, piposundan kısa kısa nefesler çekip mavi bir duman salarak, telaş göstermeden evine döndü. Sokağın alt ucundan bakınca, yatak odasında duran Sheila'yı –hiç değilse ancak Sheila olabilecek birinin karaltısını– gördü; yaklaşıp onu daha iyi seçebileceği bir yere geldiğinde kadın gözden yitmişti.

Postanede olup biteni Christine'e açacak mıydı? Karar verememişti daha. O anda aklına nasıl eserse öyle davranacaktı. Doğrulamak istediği, Christine'le ilişkili bir nokta vardı. O sabah yataktayken düşünmüştü bunu. Uyanmıştı, ama Christine tuvalet masasının önünde saçını taradığı sürece gözlerini açmamış, yarı kapalı tutmuştu. Gözlendiğini bilmeyen, en doğal haliyle duran, kaşlarını çatmış, düşüncelere dalmış olan Christine'i hem gerçek yüzü, hem de aynadaki yansısıyla iki ayrı biçimde görüyordu Spencer.

Birazdan işliğine gidip kapanacaktı. Orada, ailesinin, kendi çocukluğunun resimleriyle dolu eski, sarı bir zarf dururdu. O zarftan, Christine'in o sabah aynanın önündeki haliyle karşılaştıracağı bir resim çıkarıp bakacaktı: Christine'in halini annesinin hangi resmiyle karşılaştıracağını iyi biliyordu.

Sabahki izleniminde yanılmamışsa eğer, kişinin alınyazısı tuhaf bir şeydi. Hem gerçekte o kadar da tuhaf değil... Belki hemen hemen her şey böylece açıklanabilirdi.

Christine de bu sabah, Spencer'ın yaptığı gibi, perdenin biraz gerisinde durarak Spencer'ın onu görmediğini sanarak, onun eve yaklaşmasını gözetliyordu. Christine'in haberi olmuş muydu olan bitenden? Olmayacak bir şey de değildi hani. Weston Christine'e postaneden telefon etmiş olabilirdi pekâlâ...

İyi bir kadındı Christine. Spencer'ı çok sever, mutlu olması için elinden geleni yapardı; yardım kurullarında, yoksulluk içinde olanların tasasını dağıtmak, acılarını dindirmek üzere çalıştığı gibi... .

"Gazeteler yeni bir şey yazıyor mu?

— Bakmadım daha.

— Ryan seni görmek istiyormuş.

— Telefon mu etti?"

Christine nasıl karşılık vereceğini bilemedi. Spencer işin daha ciddi olduğunu sezdi. Masanın üzerinde duran ufak, sarımtırak kâğıdı yeni görüyordu.

"Bu çağrıyı bir polis getirdi. Saat dörtte Litchfield'de, Coroner'ın dairesinde olacakmışsın. Çağrıyı getiren adamdan bir şeyler öğrenmeye çalıştım. Anlaşılan bütün tanıkları yeniden dinliyorlarmış; hiçbir şey bulamadıkları için soruşturmaya yeniden başlıyorlarmış."

Bu kadar durgun duruşu karısını kaygılandırıyordu, ama Spencer başka bir şey yapamazdı... Christine'e bakarken düşündüğü ne karısıydı, ne soruşturmaydı, ne de Bella... Annesini düşünüyordu, herhalde hâlâ Vermont'ta oturan annesini...

"Seninle gelmemi ister misin?

— Hayır.

— Kaçta yemek yiyelim?

— Sen bilirsin."

İşliğine girip kapısını örttü. Masanın üzerinde duran kâğıda, ileride bunun bir önemi olacakmışçasına, postanedeki olayın günü ile saatini yazdı, bu notun yanına da birkaç ünlem kondurdu.

Bir çekmece açtı, zarfı alıp içindeki resimleri önüne yaydı. Kendi çocukluk resimleri ilgilendirmiyordu onu; sayısı pek azdı zaten bunların, hemen hemen hepsi, okullarda çekilen çeşitten toplu resimlerdi. Spencer'da babasının bir tek resmi vardı; yirmi beş yaşındayken çektirdiği ufacık bir resim... Babası, sevinçle üzüncü şaşırtıcı bir biçimde karıştırarak gülümsüyordu bu resimde.

Spencer babasına benzemiyordu; olsa olsa başının pek uzun biçimi, Âdem elması çıkık uzun boynu babasını andırabilirdi.

Elini aradığı resme, annesinin yüksek yakalı mavi giysisiyle çektirdiği resme götürdü. Resim küçük olduğu için masanın üzerinde duran büyüteci eline aldı; resmi inceledikçe bakışında bir acılık belli olmaya başladı.

İki kadının ne bakımdan benzeştiklerini söylemek güçtü; benzeşim, yüzlerinin çizgilerinden çok ifadesindeydi; daha doğrusu, bir insan tipi meselesiydi bu.

Christine'e saçını tararken baktığında aldanmamıştı. Her ikisi de aynı tipe giren kadınlardı. Belki annesi de –o kadar gücendiği, kırıldığı annesi de– gerçekte babasını mutlu kılmak için elinden geleni yapmıştı.

Ama kendi bildiğince yapmıştı... Başka türlü de olamazdı, ancak kendi bildiğince yapmış olabilirdi yaptıklarını... Yaptıklarını herkesin onayladığına, uygun bulduğuna emindi; çünkü ne yapsa topluluğun kabul ettiği biçimde yapıyordu. Kilisede Christine gibi yürekli yürekli ilahi söyleyebilir, din kardeşlerinin kendisini aralarından atabileceğinden korkmazdı.

Onu Christine'le evlenmeye götüren şeyin içgüdü olduğuna mı inanmalıydı Spencer? Onu sanki Christine'in kanadı altına sokmak, daha doğrusu Christine'in iradesine bırakmak yahut kendini kendinden korumak için mi evlenmişti acaba?

Bu doğruydu işte. Her zaman babasının durumuna düşmek, onun gibi ölmekten korkmuştu. Babasını pek az tanımıştı zaten. Onun üzerine bildiklerini hep ailesinden, özellikle annesinden işitmişti. Daha ufacık bir çocukken onu yatılı okula vermişlerdi; yaz tatillerini de çoğu zaman bir tatil kampında geçirirdi, o da olmazsa onu uzak yerlerde oturan teyzelerinin yanına gönderirlerdi. Öyle ki annesiyle babasını pek seyrek olarak bir arada görebilmişti.

Babasının kapatmaları varmış. Öyle diyorlardı. Sonraları işin aynen böyle olmadığını anlamıştı. Yapabildiği ölçüde geçmişi, çapraz konrollerle yeniden incelemişti; babasının ansızın –aklına esince– ortadan yittiğini, haftalarca görünmediğini, sonra da Boston'un, New York'un, hatta Chicago ile Montreal'in en kötü, en aşağılık yerlerinde ortaya çıktığını anlamıştı.

Yalnız olmazmış, ama yanındaki kadın yahut kadınların

pek öyle önemi yokmuş. İçermiş. Onu bu hastalıktan kurtarmaya çalışmışlarmış, iki kez bir sağlık yurduna sokmuşlarmış. Sonunda vazgeçtiklerine bakılırsa, iyileşecek gibi değilmiş herhalde...

Annesi o zamanlar küçük Spencer'a bakar, içini çekerek başını sallar:

"Tanrı vere de babasına çekmiş olmasın!" derdi.

O ise, babasına benzeyeceğine her zaman inanmıştı. Babasının ölümü üzerine büyük bir korkuya kapılması da herhalde bu inancından ileri geliyordu. Cenaze törenine katılması için onu liseden getirttikleri zaman Spencer on yedi yaşındaydı. O gün en önemli kişi o değildi. En önemli kişi tabutunda yatan ölüydü. Bununla birlikte Spencer, bu pazar günü kilisede hissettiklerinin hemen hemen aynını hissetmişti o gün. Kim bilir, belki de geçmişi aklına getirdiği için pazar günü bu duyguları yaşamıştı yine...

Kilise tıklım tıklım doluydu. Çünkü babasının ailesi ileri gelen ailelerdendi; annesinin ailesi ise –Harness'ler– daha da büyük bir aileydi. Tabutun çevresindekiler ölüyü hep birlikte aynı güçle yeren bir topluluk oluşturuyordu sanki; papazın, insanların anlayamayacağı tasarıları, yaşamları olan Tanrı'dan söz edişinde açıkça belli olan bir rahatlama vardı.

Tanrı onları Stuart S. Ashby'den kurtarmıştı sonunda... Gerçekte Ashby ağzına bir kurşun sıkmıştı; işin tuhafı, bu iş için kullandığı tabancayı nereden edindiği bir türlü öğrenilememişti. Oysa bir soruşturma açılmıştı. İşe polis karışmıştı. Babası Boston'da, mobilyalı olarak kiraya verilen bir odada kıymıştı canına; ölüm anında Ashby'nin yanında bulunan, saatini alarak kaçan kadın da daha sonra ele geçirilmişti.

Başsağlığı dilemek üzere söylenen sözler bile,

"Eh Hanımefendiciğim, çok çektiniz, ama işte kurtuldunuz sonunda!" anlamına geliyordu.

Babası suçlarının bağışlanmasını dileyen güzel bir mektup yazmıştı. Annesi mektubun bütün sözlerine ancak gerçek anlamlarını vermiş, herkese okumuştu; bir tek Spencer iki anlamlı birtakım tümcelerin acı bir alay olup olmadığını sormuştu kendi kendine...

"Kendini hiçbir zaman içkiye vermeyeceğini umarım, çünkü babana çektiysen..."

Spencer o kadar korkmuştu ki, yirmi beş yaşına değin ağzına bira bile koymamıştı. Onu en çok etkileyen şey belirli, şu ya da bu kötü alışkanlık, şu ya da bu kesin tehlike değildi de, belirsiz bir şeylerin, örneğin büyük şehirlerin birtakım mahallelerinin, birtakım sokakların, giderek birtakım ışıkların, birtakım ezgilerin, hatta birtakım kokuların çekimiydi...

Onun için annesinin dünyası olan bir dünya vardı; içindeki her şeyin barış, temizlik, güvenlik, saygı olduğu bir dünya... İşte bu dünya babasını içinden attığı gibi Spencer'ı da içinden atmaya meyilliydi.

Spencer açık yürekli davrandığı zamanlar böyle düşünmezdi, ama gerçekte o dünyaya sırt çevirmeye kalkışan, baş kaldırmaya bakan, o dünyayı yadsımak isteyen kendisiydi. Ara sıra o dünyadan tiksindiği oluyordu.

Yağmurlu akşamlar birtakım barların kapısını görmek bile başını döndürürdü onun. Dilencilerin, serserilerin ardından imrenmeyle bakardı. Sokaklarda ölmenin alnına yazılı olduğuna inanmıştı öğrencilik çağlarında... Hem uzun bir süre taşımıştı bu inancı.

Christine'le bu yüzden mi evlenmişti? Sonunda her şey günah haline gelmişti. Bütün yaşamını günahtan kaçmakla harcamıştı. Evleninceye değin bir izci –ama artık yaşı küçük olmayan bir izci– gibi, yaz tatillerinin birçoğunu çantası sırtında, yapayalnız geçirmişti.

"Yemek hazır Spencer."

Christine resimleri görmüştü, ama bu konuda hiçbir şey söylemedi. Spencer'ın annesinden daha anlayışlı, daha hassastı. Yemekten sonra Spencer ocağın önündeki koltuğa oturup biraz kestirdi; telefon çalınca ürperdi, yerinden kalkmadı; adını söyledikten sonra artık hiçbir şey demeden karşı yanı –her zamanki gibi– dinleyen Christine'e baktı. Christine telefonu kapadığı zaman Spencer sorusunu nasıl soracağını bilemedi, beceriksizce kekeledi:

"O muydu?

— Kimse konuşmadı.

— Soluk alışını duydun mu?

— Duydum gibi geliyor bana."

Tereddüt içindeydi Christine.

"Seninle birlikte gelmemi gerçekten istemiyor musun?

— İstemiyorum canım. Yalnız gideceğim.

— Sen Coroner'ın yanındayken ben de Litchfield'de biraz alışveriş ederim.

— Ne alacaksın?

— Ufak tefek bir sürü şey... Tire, düğme, lastik...

— Bunlar burada da bulunur."

Bu durumda yanına birini alarak gitmek istemiyordu. Kimsenin onunla birlikte gelmesini istemiyordu. Ryan'ın yanından çıkacağı saatte ortalık iyice kararmış olacaktı; bir kenti —ufacık bir kent de olsa— nice zamandır elektrik ışığında görmemişti...

Gidip scotch şişesini aldı getirdi, kendine bir içki hazırladı, sordu:

"Sen de ister miydin?

— Sağ ol, şimdi içmem."

Christine şunu da eklemekten kendini alamadı:

"Çok içmesen iyi olur. Ryan'ı göreceğini unutma..."

Spencer hiçbir zaman ölçüyü kaçırmaz, sarhoş olmazdı. Olmayacak kadar korkardı sarhoşluktan! Karısını kaygılandıran şey Spencer'ın şişeye başka türlü bakmaya başlamış olmasıydı, ondan artık eskisi kadar korkmuyormuş gibi bakması...

Zavallı Christine! Onunla birlikte gelip onu korumayı o kadar istiyordu ki! Belki de ona olan sevgisinden çok, annesi gibi, görev duygusundan ötürü Spencer'ın yanında olmak istiyordu. Belki de topluluk adına davrandığından bunu dilemekteydi. Öyle değil miydi? Doğru değil miydi bu?

Belki de değildi, kim bilir? Spencer üstelemedi. Christine onu sözcüğün bütün anlamıyla seven bir kadın değildi belki de. Tutkuyu bilecek bir kadın değildi. Kim bilir? Yine de onu pek çok severdi belki de...

Bardağına koyduğu içkiyi içmesine baktıkça, karısının duyduğu korku yüzünde o kadar belli oluyordu ki... Spencer, Christine'e acıyacaktı neredeyse... Bir araba bulabilecek olsa, Spencer'ı kendi kendisinden korumak üzere arkasından gelirdi herhalde...

Neyse! Hayır! Allah kahretsin! Viskisini bir dikişte içti, bardağını yeniden doldurdu; bile isteye yapmıştı bunu...

"Spencer!"

Anlamıyormuş gibi baktı Christine'e.

Christine üsteleyemedi. O sabah postanede, kuzen Weston'ın da üstelemeyi gözü yememişti. Oysa Ashby, Vaughan'ın karşısındayken hiçbir şey söylememişti. Vaughan'ı korkutacak bir hal bile takınmamıştı. Onu aşağılayan adama uzun uzun bakmakla yetinmişti; sonra çevresindekilere teker teker, ağır ağır gözünü dikmişti, o kadar...

Kim bilir? Pazar günü kilisedeyken açıkça dönüp adamların gözüne gözünü dikseydi, ilahilerini bu kadar inançla söylemekten vazgeçerler, bozulurlardı belki de...

Kötü kötü sırıtarak:

"Karısını kaçırıp kaçırmadıklarını anlamaya gelmiş yine!" dedi.

Her zamanki sesi değildi bu. Kara, gösterişli arabası evinin önüne gelip durmuş olan Katz'dan hiçbir zaman söz açılmazdı evlerinde. Christine kocasına şaşkınlıkla, gerçek bir kaygıyla baktı. Spencer karısını şaşırttığını anladı ama bunun üzerinde durmadı; sokağa çıkmadan önce saçını taramak üzere yatak odasına girdi.

Christine bütün gün dikiş dikmişti. Kadınlar kimi günler dikiş dikmekle vakit geçirmeyi seçiyorsa, bu türlü çalışmanın kendilerini alçakgönüllü, ödüle hak kazanmış insanlar olarak göstermesinden değil midir?

"Görüşmek üzere."

Karısını alnından öpmek için eğildi. Christine de onu yüreklendirmek, uğursuzluğu yanından uzaklaştırmak istermiş gibi parmaklarının ucuyla bileğine dokunmanın yolunu buldu.

"Hızlı sürme arabayı..."

Zaten öyle bir şey yapacak değildi. Ölümü bundan olsun istemezdi. Arabanın karanlığı içinde oturur, farların ışıklı uçurumunun dünyayı yutuşuna bakarken rahattı. Demin Katz'ın geldiğini görünce hayal kırıklığına uğramıştı; hele bu kez adam sadece birkaç saatliğine gelmiş olmasa gerekti... Her yolculuk sonrası gelişinde evinde birkaç gün kalırdı; o günlerin sabahları yatak odalarının penceresinde Ashby'nin gördüğü karaltı, Katz'ın tombul, tiksindirici bir doymuşluk içinde yüzen biçimi olurdu.

Ryan bunu bilerek yapmış olmalıydı. Spencer saat tam dörtte Ryan'ın işyerine geldiğinde bekleme odasında kimseler yoktu. Gidip kapıyı tıkırdatmış, Coroner'ın, masasına oturmuş telefon etmekte olduğunu görmüştü. Aralık kapının önünü Bayan Moeller kesmişti. Spencer'a:

"Bir dakika oturmaz mısınız Bay Ashby?" demiş, onu bekleme odasının sandalyelerinden birini göstermişti.

Spencer'ı yirmi dakika bekletmişlerdi o odada. Bu süre içinde Ryan'ın odasına kimse girmemişti. Kimse de çıkmamıştı odadan. Bununla birlikte Bayan Moeller gelip Spencer'ı Ryan'ın odasına aldığında, odanın bir köşesinde uzun boylu, saçı alabros kesimli gençten bir adam oturuyordu.

Spencer'ı o gençle tanıştırmadılar. O adam orada yokmuş

gibi davrandılar. Genç adam o karanlık köşede ayak ayak üstüne atmış duruyordu öylece. Sırtındaki giysi New England havasında, ağır bir şeydi. Çekirdek fiziğiyle uğraşan genç bilginlerin ağırbaşlı, çevresine biraz ilgisiz kalan hali vardı bu adamda. Bu genç fizik bilgini değildi herhalde, Spencer bunu anlamıştı. Ancak epey sonra, Bill Ryan'ın bilirkişi olarak çağırdığı bir doktor, bir ruh hastalıkları doktoru olduğunu öğrendi.

Spencer bunu önceden bilmiş olsaydı başka türlü mü davranırdı? Başka türlü davranmazdı herhalde. Coroner'a gözünü dikip baktı; öyle ki sonunda Ryan bu bakıştan sıkıldı.

Ryan vicdanının derinliklerine bakınca pek böbürlenebilecek bir adam değildi. Evlenmiş olmasaydı mesleğinde bugün varmış olduğu yerde olabilecek miydi? Ne gerekliyse onu yapmıştı her zaman; evlenmesi gerekli insanla evlenmişti; her zaman hangi yanı tutmak gerekirse onu tutmuş, gülmek gerekince gülmüş, öfkelenmesi istendiği zaman öfkelenmişti.

Bu kadar ağırbaşlı görünmek ona ara sıra güç gelirdi herhalde; dipdiri, canlı kanlı bir insandı, canı pek çok şeyler çekse gerekti. Canının çektiklerini rahat rahat elde etmenin bir yolunu bulmuş muydu? Bu işi Bayan Moeller mi almıştı üstüne?

"Oturun Asbhy. Haberiniz var mı bilmem, ama bir hafta süren soruşturmadan sonra yine yerimizde sayıyoruz; bir parça gerilemiş bile olduğumuzu söylemeyeyim diye öyle diyorum. Soruşturmaya baştan başlamaya karar verdim. Önümüzdeki günlerde belki bir yeniden canlandırma bile düzenleriz..."

"Başlıca tanık sizsiniz, unutmuyorsunuz herhalde. Bu akşam siz buradayken polis ufak bir deney yapacak, tanıklardan Bayan Katz'ın gördüğünü ileri sürdüğü şeyi gerçekten görmüş olup olamayacağını araştıracak. Sözün kısası, bu kez sıkı çalışacağız..."

Ryan belki de Spencer'ı heyecanlandırmayı ummuştu, ama tersine, bu az çok gözdağı veren konuşma Spencer'ın içine bir rahatlık salmıştı.

"İlk sorgudaki sorularımı sırayla size yeniden soracağım. Bayan Moeller de yanıtlarınızı not edecek."

Bayan Moeller bu kez kanepede değil, bir yazı masasının önünde oturuyordu, ama bacakları yine o günkü kadar görünüyordu.

"Hazır mısınız Bayan Moeller?

— Hazırım efendim.

— Ashby, belleğiniz sağlamdır herhalde... Genellikle, öğretmenlerin bir şeyi kolay kolay unutmadıkları düşünülür...

— Bilmiyorum, ama bir metni harfi harfine ezberleyen bir bellek demek istiyorsanız, o ben de yok... Bir hafta önce verdiği karşılıkları ezberden yineleyebilecek adam değilim."

Ryan gibi bir adamın durumundan hoşnut olması olur şey miydi? Gelecek seçimlerde yargıç olacak, aşağı yukarı on yıl sonra da senatör, belki de –yılda yirmi bin dolar maaşlı– bir başyargıç, Connecticut Başyargıcı onuruna yükselecekti. İçlerinde sağlam ayakkabı olmayanların da bulunduğu bir sürü insan ona işinde yükselmesi için yardım etmişlerdi, daha da edeceklerdi; bunun karşılığı olarak da Ryan üzerinde birtakım hakları olduğunu sanacaklardı...

"*Karınızın bize söylediklerine göre, cinayet günü hava karardıktan sonra evden çıkmadınız...*

— Öyle."

O gün kullanmış olduğu sözleri hemen anımsıyordu Spencer. Düşündüğünün, demin Ryan'a söylediğinin tersine, tümceler tam olarak kalmıştı aklında; sorular da, yanıtları da... Öyle ki, artık bir oyun halini alıyordu bu; öğrencilerinin her yıl aynı sıralarda okudukları metinler gibi bir şey oluyordu.

"*Niye?*

— *Niye ne?*

— *Niye çıkmadınız?*

— *Canım istemiyordu da ondan.*

— *Karınız telefon edip... vb... vb... bunları geçelim, değil mi?*

— *Nasıl isterseniz...* Bu sorunun yanıtı şuydu:

"*Doğru. Ben de ona yatacağımı söyledim!*"

"Öyle değil mi?"

Bayan Moeller başıyla doğruluyordu. Sorular, yanıtlar art arda diziliyordu. Aradan geçen zaman bu sorularla yanıtların birkaçını daha da ilginç kılıyordu.

"*Kızı görmediniz mi?*

— *Bana iyi geceler demeye geldi.*"

Bir düşü andırıyordu bu durum; ikinci kez görülen, benzerliğin sonuna değin sürüp sürmeyeceğini merak ettiren bir düşü andırıyordu...

"Size yatacağını mı söyledi?"

Köşesinde oturup duran o tanımadığı adama baktı. Adam

şimdi kendisini daha dikkatlice süzüyor gibi geldi Spencer'a.
Bu yüzden ilk sorgu da verdiği karşılığı unuttu, yenisini verdi:

"Ne dediğini işitmedim," dedi.

İlk kezinde yaptığı açıklama daha uzun olmuştu. Belki
kendisiyle tanıştırmadıkları adama ansızın duyduğu ilgiden
ötürü, belki de imge yaratan "yatmak" sözü yüzünden, Spen-
cer'ın gözünün önüne yerde yatan Bella'nın hali geldi, bütün
ayrıntılarıyla birlikte...

"Yorgun musunuz?

— Hayır. Neden?

— Bezgin gibi, kaygılı gibi görünüyorsunuz da..."

Ryan arkadaşına doğru dönmüş, onunla göz göze gelmiş-
ti... Bu bakışın anlamı sonradan anlaşıldı.

"Görüyorsunuz ya!" demeye getirmiş olsa gerekti.

Foster Lewis —o adamın adıymış— konuşmadı. Bir kez ol-
sun söz almadı. Orada resmi görevle bulunmuyordu herhal-
de. Asbhy yasaları bilmezdi, ama resmi bir bilirkişi inceleme-
sinin başka bir yerde, bir hastane ya da muayenehanede yapı-
lacağını, hele odaya —Coroner'ın sekreteri de olsa— bir kızın
sokulmayacağını düşünürdü.

Hem Ryan ne diye bir ruh hastalıkları doktorunun düşün-
cesine ihtiyaç duymuştu? Ashby'nin davranışı ona anormal
mi görünmüştü? Yoksa ona göre, Bella'yı ancak dengesi bo-
zuk bir adam mı öldürmüş olabilirdi? Bu yüzden de, şüpheli
görülenlerin her biri üzerine bir uzmanın ne düşüneceğini
öğrenmek mi istiyordu?

Spencer kendine bu soruları sormaya başlamamıştı daha.
Hep geçen sorgunun metni üzerinde duruyorlardı.

"*Saat kaçtı?*

— *Bilmiyorum.*

— *Şöyle, aşağı yukarı?*

— *Hiç bilemeyeceğim.*

— *...*

— *...*

— *Sinemadan mı dönüyordu?*

— *...*"

Sorular soruluyor, yanıtlar veriliyordu. Sonuna geliyorlardı artık.

"*Başında şapkası, sırtında mantosu mu vardı?*

— *Evet.*

— *Nasıl?*"

Düşünmeden karşılık vermiş, yanılmıştı. Düzeltti.

"Bağışlayın. Başında koyu renkli beresi vardı demek istedim.

— *Emin misiniz?*

— *Evet.*

— *Çantasını anımsamıyor musunuz?*

— *...*

— *...*

— *Sevgilileri var mıydı?*

— *Erkek arkadaşları vardı, kız arkadaşları vardı.*"

Bunun doğru olmadığını biliyordu artık. En az iki oğlan onunla sevişmişlerdi. Ama belki de sevişirken işin sonuna değin gitmemişlerdi, yoksa gazete başka sözler kullanırdı bunları anlatırken...

"Neye daldınız?

— Hiç...

— *Ardını bırakmayan biri var mıydı acaba? Biliyor musunuz?*

— Ben...

— Dinliyorum. Siz?...

— Geçen günkü gibi mi karşılık vermeliyim?

— Doğruyu söyleyin.

— Gazeteleri okudum.

— O halde sevgilileri olduğunu biliyorsunuz...

— Evet.

— Bunu öğrenince tepkiniz ne oldu?

— Önce inanmak istemedim.

— Niye?"

Artık metne hiç mi hiç bağlı kalmıyorlardı. Karşılıklı olarak metnin yolundan çıkmışlardı. İçinden geldiği gibi konuşan Spencer gözünü Ryan'ın gözüne dikmiş, şöyle söylüyordu:

"Çünkü uzun süre erkeklerin namuslu, kızların iffetli olduğuna inandım...

— Artık inanmıyorsunuz, öyle mi?

— Herhalde, Bella Sherman konusunda inanmıyorum artık... Olup bitenleri biliyorsunuz, değil mi?"

O zaman, Coroner'ın ablak, yağlı suratı ileriye doğru uzandı:

"Ya siz?..."

III

Başka bir konudaki sorulara geçilecekti. Ryan'ın önünde duran kâğıtta bu konuda, bir başkasının el yazısıyla yazılmış notlar vardı. Ryan bu soruları sormaya başlamadan önce, köşesinde o dalgın haliyle oturup duran Foster Lewis'e baktı, sonra biraz acemice konuşarak:

"Bayan Moeller, sorgunun bu bölümünü gidip odanızda temize çekebilirsiniz sanırım," dedi.

Baş başa kaldıklarında kızı nasıl çağırırdı acaba? Bayan Moeller'in iri gözleri, etli dudakları, kocaman göğüsleri, yürürken salladığı kocaman kalçaları vardı. Ashby'nin önünden geçerken ona ışıl ışıl gözlerle baktı —her erkeğe öyle bakardı herhalde— bitişik odaya girip gözden yitene değin de kalçalarını salladı durdu; odanın kapısı aralık kaldı.

Ashby iyiden iyiye rahatlamıştı. Gitti, piposunu Coroner'ın hemen hemen burnunun dibinde, yazı masasının üzerinde duran bir tablaya boşalttı; bu tabla Ryan'ın purosunun külünü silktiği tablaydı. Piposunu ancak yeniden doldurup ateşledikten sonra geldi yerine oturdu; saçı alabros kesimli, konuşmadan duran adam gibi ayak ayak üstüne attı.

"Görüyorsunuz, bundan sonra yanıtlarınız tutanağa geçmeyecektir. Size sormak istediğim sorular gerçekten biraz daha özel, daha kişisel sorular..."

Ashby'nin buna karşı durmasını bekliyor gibiydi. Oysa Ashby böyle bir şey yapmaktan sakındı.

"Önce babanızın neden öldüğünü sorabilir miyim?"

Biliyordu. Önündeki kâğıtta bunlar yazılı olsa gerekti; ama yazılar ya pek küçük ya da kargacık burgacık yazılar olduğu için onları okumakta güçlük çekiyordu. Bu sorunun karşılığını ne diye Spencer'a verdirmek istiyordu? Nasıl bir tepki göstereceğini mi merak etmişti?

Ashby ortada neler döndüğünü anlamış olduğunu göstermek üzere, karşılığını Lewis'in oturduğu köşeye doğru dönerek verdi.

"Babam kendini öldürdü. Ağzına bir kurşun sıkarak..."

Foster Lewis hâlâ ilgisiz, dalgın duruyordu. Ama Ryan, sevdikleri öğrencilerini sözlü sınavlarda yüreklendirmek isteyen öğretmenlerin yaptığı gibi, başını hafif hafif sallıyordu.

"Niye böyle yapmış acaba, biliyor musunuz?

— Yaşamaktan usanmıştı sanırım, öyle olsa gerek...

— Demek istediğim, işleri mi kötü gitmişti, yoksa o anda umulmayan birtakım güçlüklerle mi karşılaşmıştı?

— Ailemin dediğine bakılırsa, kendi parasının altından girip üstünden çıktığı gibi, annemin parasının da bir bölüğünü yemişti...

— Babanızı çok sever miydiniz Bay Ashby?

— Onu pek az tanıdım.

— Eve pek mi seyrek gelirdi?

— Ben hemen hemen bütün çocukluğumu yatılı okullarda geçirdim de..."

Kâğıdı görünce, Ryan'ın yüzüne bakınca, Spencer zaten

böyle sorularla karşılaşacağını kestirmişti. Bu adamın da, arkadaşının da, ne aradıklarını, ne öğrenmek istediklerini anlıyordu, ama kılı bile kıpırdamıyordu; yaşamı boyunca kendini bu kadar uyanık, bu kadar rahat pek seyrek hissetmişti.

"Babanız gözünüzde nasıldı? Nasıl bir adamdı sizce?"

Spencer gülümsedi.

"Sizin düşündüğünüz nedir Bay Coroner?... Çevresindekilerle anlaşamadığını, çevresindekilerin de onun değerini anlamadıklarını sanırım.

— Öldüğünde kaç yaşındaydı?"

Spencer bir an düşünmek zorunda kaldı; anımsayınca da biraz şaşırdı. Utanmış gibi:

"Otuz sekiz yaşındaydı," dedi.

Spencer'ın bugünkü yaşından üç yaş küçük... Babasının kendisi kadar yaşamamış olduğunu düşünmek Spencer'ı tedirgin ediyordu.

"Sizi herhalde üzen bu konu üzerinde çok durmamamı istersiniz sanırım."

Hayır. Üzücü değil bu konu. Can sıkıcı bile değildi. Ama onlara bunu söylememenin daha uygun düşeceğini düşündü Spencer.

"Okuduğunuz okullarda çok dost edinmiş miydiniz Bay Ashby?

Spencer düşünme zahmetine katlandı. Gerçi içi pek rahattı, ama bu işi hafife de almıyordu.

"Herkes gibi benim de arkadaşlarım vardı.

— Ben dostlardan söz açmıştım...

— Çok dostum olmadı. Pek azdı sayıları.

— Yoksa hiç mi olmadı?

— Doğrusu ya, dost sözünü en dar anlamıyla alırsak hiç dostum olmadı.

— Demek, yalnızlığı seven bir insandınız...

— Hayır. Pek öyle değil. Futbol, beyzbol, hokey takımlarına girdim. Tiyatro oyunlarında rol bile aldım...

— Ama arkadaşlarınızın yanında olmaya can atmazdınız, öyle mi?...

— Belki de onlar benim yanıma gelmeye can atmazdı...

— Babanızın kötü ünü yüzünden mi?

— Bilmem... Öyle bir şey söylemek istetmedim.

— Bay Ashby belki de siz çekingendiniz, siz alıngandınız da ondan... Ne dersiniz? Her zaman pek parlak bir öğrenci diye tanınmışsınız. Hangi okula gittiyseniz, sizi zeki, ancak kabuğuna çekilmiş, melankoliye eğilimli bir çocuk diye anımsıyorlar..."

Spencer, yazı masasının üzerinde başka başka okulların antetli kâğıtlarını görebiliyordu. Okuduğu her okula yazılar yazılmış, nasıl bir kişi olduğu üzerine doğrudan doğruya yerinden bilgi edinmeye çalışılmıştı. Kim bilir? Belki Ryan'ın önünde şu anda, Spencer'ın sekizinci sınıftayken Latince dersinden aldığı notlar ya da –kendisine bir laboratuvarda çalışmasını salık veren– sakallı öğretmenin Spencer üzerindeki düşünceleri duruyordu...

Gazetelere bakılırsa, kentin delikanlılarının hepsiyle kızlarının çoğu sorguya çekildikten başka, millerce ötelere değin gidilerek sinema meraklıları, benzinciler, barmenler de sorguya çekilmişti. Virginia'da da FBI Bella'nın geçmişini araştırmış, okul yıllarını incelemiş, böylece ortaya yüzlerce insanın adı atılmıştı.

Oysa bütün bunlar, bu devasa işler, sadece sekiz gün içinde görülmüştü. İnsanı şaşırtacak kadar büyük bir çaba harcanması demek değil miydi bu? Bunları düşününce Spencer'ın aklına kısa bir süre önce okulda gösterilen bir bilim filmi geldi; bu filmde, yabancı mikropların yaklaşması karşısında akyuvar ordularının akla durgunluk veren savaş hazırlığı gösteriliyordu.

Binlerce kişi her hafta yollar boyunca kazaya uğrayıp ölüyordu; her gece binlerce kişi yataklarında can veriyordu, ama bunlar toplumsal yapıda herhangi bir yangına yol açmıyordu. Ama bir kız, bir Bella Sherman boğulmaya görsün, bütün hücreler kaynaşmaya başlıyordu.

Christine'in kullandığı deyimle söylemek gerekirse, topluluğun hayatta kalması söz konusu oluyordu da ondan değil miydi bütün bu gürültü? Biri kuralları çiğnemişti. Kuralların dışına çıkmış, yasalara meydan okumuştu; işte bu biri bir yıkım öğesi olduğu için ele geçirilmeli, cezalandırılmalıydı.

"Gülümsüyorsunuz Bay Ashby...

— Hayır, Sayın Coroner.

Ryan'ı kasten ünvanıyla çağırıyordu. Ryan ne yapacağını şaşırıyordu bu yüzden.

"Bu sorgu size tuhaf mı geldi?

— Emin olun, öyle bir şey yok... Dengemin bozuk olup olmadığını öğrenmek istemenizi çok iyi anlıyorum. Fark edeceğiniz gibi sorularınızı elimden geldiğince iyi yanıtlamaya çalıştım. Bundan sonra da öyle yapmak niyetindeyim."

Lewis de istemeyerek gülümsemişti. Ryan bu tipte bir operasyonu başarıya götürebilecek ustalıkta bir adam değildi. Kendisi de anlıyordu bunu; sandalyesinin üzerinde bir türlü rahat edemiyor, öksürüyor, purosunu tablaya bastırıyor, bir yenisini alıp ucunu yere tükürdükten sonra yakıyordu.

"Evlenmekte geç mi kaldınız Bay Ashby?

— Otuz iki yaşında evlendim.

— Bugün buna geç evlenmek diyoruz... O zamana değin başınızdan çok serüven geçti mi?"

Spencer şaşaladı, sustu.

"Sorumu işitmediniz mi?

— Karşılık vermeli miyim?

Verip vermemek sizin bileceğiniz iş..."

Kapısı hâlâ aralık duran, makine tıkırtısı işitilmeyen bitişik odada Bayan Moeller bu konuşmaları dinliyor olmalıydı. Ashby bunu da umursamıyordu artık; ne olacaktı sanki?

"Kullandığınız sözü anlıyorsam Bay Ryan, başımdan öyle serüvenler geçmedi demeliyim...

— Flört ettiğiniz kimseler oldu mu?

— Hayır. Bunu hele hiçbir zaman yapmadım.

— Kadınlarla arkadaşlık etmekten kaçınıyordunuz anlaşılan...

— Kadınlarla arkadaşlığı aramıyordum.

— Bu sözlerden evlendiğiniz güne değin cinsel ilişkiniz olmadığını mı anlamalıyım?"

Yine sustu Spencer. Ama her şeyi ne diye anlatmayacaktı sanki?

"Hayır, öyle değil. Cinsel ilişkilerim olmuştu.

— Sık sık mı?

— Bir on kez kadar diyelim...

— Kızlarla mı?

— Hiçbir zaman...

— Evli kadınlarla mı?

— Hayır. Bunu meslek edinmiş kadınlarla. "

Bunu mu söyletmek istiyorlardı? O kadar olağanüstü bir şey miydi bu? Yaşayışını güçleştirmek istememişti, o kadar... Sadece bir kez... Bir şeyler olmuştu... Ama bunu sormuyorlardı.

"Evlendikten sonra karınızdan başka kadınlarla ilişkileriniz oldu mu?

— Hayır Bay Ryan."

Yine keyiflenmişti. Ryan gibi bir adam ister istemez ona, yaşamında pek seyrek tanıdığı bir üstünlük hissi veriyordu.

"Evinizde kaldığı süre içinde Bella Sherman'a hiçbir zaman ilgi duymamış olduğunuzu söyleyeceksiniz sanırım...

— Elbette. Varlığının ancak farkına vardım.

— Hiç hastalandınız mı Bay Ashby?

— Çocukken kızamıkla kızıl oldum. İki yıl önce de bronşit geçirdim.

— Sinir bozuklukları?

— Benim bildiğim, böyle bir şey olmadı. Kendimi bu bakımdan her zaman sağlam görmüşümdür."

Belki böyle davranmakla yanlış bir şey yapıyordu. Bu çeşit adamlar kendilerini savunmakla kalmazlar, kullanacakları silahları seçmekte de öyle ince eleyip sık dokumazlar; çünkü bu adamlar yasadırlar... Şu anda suçluyu bulmak onlar için çok mu önemliydi? Suçlu diye gösterecekleri herhangi biri onlara yetmez miydi?

Sorun neydi? Cezalandırmak. Ama neden ötürü cezalandırmak?

Gerçekte Ashby bu adamların gözünde, Bella'nın ırzına geçip onu boğan adam kadar tehlikeli değil miydi? Çok görmüş'geçirmiş olan koca Bay Holloway'e bakılırsa, katil yıllarca rahat duracak, kimsenin ondan şüphelenmeye kalkışmaması için de oldukça derli toplu yaşayacaktı. Ama belki bir gün, on yıl, yirmi yıl sonra bir gün, karşısına fırsat çıkarsa bu işi yeniden yapacaktı.

Demek ki cinayete kurban gidecek kimse umurlarında değildi nasıl olsa. Bir cesedin önemi mi olurdu onlar için?

İlkelere ilişkin bir sorundu bu. Oysa bir haftadan beri, Crestview School öğretmenlerinden Spencer Ashby'nin artık kendilerinden biri olmadığına inanmış durumdaydılar.

"Size soracak başka sorum yok efendim..."

Ne yapacaklardı şimdi? Spencer'ı oracıkta hemen tutuklayacaklar mıydı? Neden yapmasınlardı sanki? Spencer'ın boğazı biraz kurumuştu; ne de olsa insanı etkileyen bir durumdu bu... Bu kadar rahat konuşmuş olduğu için şimdi yerinmeye bile başlıyordu. Karşısındakileri kırmıştı belki de... Bu adamlar alaydan korktukları kadar hiçbir şeyden korkmazlardı. Önemli olduğuna inandıkları sorular sorduklarında onlara ciddiyetle karşılık verilmesi iyi olurdu...

"Ne dersiniz Lewis?"

Adamın adı işte o zaman söylendi ancak... Ryan bir parçacık alaycı, ama iyi bir adam hali takınarak kendini o zaman ele verdi.

"Foster Lewis'i muhakkak işitmişsinizdir Ashby. Genç kuşak ruh doktorlarının en ünlülerinden biridir. Bu cinayetle ilişkili olarak yaptığım sorgulamaların birkaçında, bir arkadaş olarak yanımda bulunmasını rica ettim. Sizin için neler düşündüğünü bilmiyorum daha. Gördünüz işte; onunla öyle gizli gizli fısıldaşmadık. Benim söyleyebileceğim şey sınavı başarıyla verdiğinizdir."

Doktor incelikle gülümseyerek eğildi.

"Bay Ashby besbelli zeki bir insan," dedi.

Ryan biraz da çocuksu bir halle:

"Doğrusu ya, onu geçen günküne göre daha sakin gördüğüm için sevindim, diye ekledi... Onu evinde sorguya çektiğim gün öylesine gergin, hani, deyim uygun düşerse, öylesine ... yoğundu ki bende bıraktığı izlenim biraz üzücüydü...

Üçü de ayaktaydı. Onu bu akşam tutuklayacağa benzemiyorlardı. Ryan açık davranmaktan korkup, Spencer'ın yolunu merdivenin dibinde şerife kestirmezse eğer... Yapabilirdi de böyle bir şeyi...

"Bugünlük bu kadar Ashby... Soruşturmayı sürdüreceğim elbet. Gerekli olduğu sürece soruşturmamı sürdüreceğim."

Ryan elini uzattı. İyi bir belirti miydi bu, kötü bir belirti mi? Foster Lewis de uzun, kemikli elini uzattı.

"Memnun oldum..."

Bayan Moeller neden sonra makinede yazısını yazmaya başlamıştı; bitişik odadan çıkmadı. Bu arada bütün yapı boşalmıştı; sadece birkaç lamba yanıyordu, özellikle koridorlarla giriş yerinde... İçinde kimsenin kalmadığı odaların kapıları açıktı; canı isteyen bu odalara dalabilir, rahat rahat dosyaları karıştırabilirdi. Tuhaf bir histi bu. Yanlışlıkla bir yargılama salonuna girdi Spencer; apak duvarları, duvarlarının meşe tahtası kaplamaları, sıraları, ağırbaşlı yalınlığı, tıpkı kiliselerine benzetiyordu burayı.

Onu tutuklamayacaklardı besbelli. Çıkış kapısının önünde onu kimse beklemiyordu. Ana caddeye çıktığında da ardından kimse gelmedi... Caddede arabasına doğru yürüyecek yerde, gözleriyle bir bar aradı.

Susamış değildi. Canı içki içmek istiyor değildi. Soğukkanlılıkla, bile isteyerek yaptığı bir edimdi bu; bir çeşit protestoydu... Demin, kaygılanan Christine'in karşısında iki bardak scotch'u üst üste devirdiği zaman da buna benzer bir şey yapmıştı.

Christine Litchfield'e onunla birlikte gelmek için bu kadar ısrar etmişti; şimdi yaptığı şeyi yapmaya kalkar diye korktuğundan değil miydi bu ısrarı?

Pek de öyle değildi; Christine'i böyle boş yere kötülememesi gerekirdi. Christine sorgunun sıkıntılı geçeceğini, Ryan'ın yanından çıkınca Spencer'ın keyfinin belki de kaçmış olacağını düşünmüş, kocasını yeniden neşelendirmek için yanında bulunmak istemişti.

Ama aynı zamanda içmesini önlemek istiyordu. Belki de daha kötü bir şey yapmasının önüne geçmek istiyordu; Spencer'a pek güveni yoktu Christine'in. Birbirine kenetlenmiş kalabalığın bir üyesiydi o. Topluluğun köşe taşlarından biri, demek geliyordu içinden Spencer'ın...

Evet, Christine'e sorulsa, kocasına güvendiğini söylerdi. Genellikle öyleydi. Ama kuzen Weston gibi ya da Ryan gibi tepki gösterdiği anlar yok muydu?

Çünkü Ryan, Spencer'ın suçsuzluğuna hiç inanmıyordu. Konuşmalarının sonuna doğru bu kadar keyifli davranması da bundandı besbelli. Ashby'nin artık batağa batmaya başladığına inanıyordu. Bundan böyle sabırla beklemek, kurnazca davranmak yeterdi ona göre. Ryan eninde sonunda Ashby'yi tuzağa düşürecek, attorney general'ın[8] önüne hiçbir yönden çürütülemeyecek bir dava götürecekti.

Kar atıştırıyordu. Dükkânlar kapanmıştı, camlıkların lambaları yanmıştı; kadınlar için hazır giysi satan bir dükkânın vitrininde çırılçıplak üç manken tuhaf tuhaf duruyor, yoldan gelip geçenlere sanki selam veriyordu.

Sokağın köşesinde bir bar vardı, ama orada tanıdıklara rastlayabilirdi; oysa canı konuşmak istemiyordu hiç. Belki de Ryan'la Foster Lewis orada oturmuş, Spencer'ı konuşuyorlardı. Üçüncü dörtyol ağzına değin yürümeyi uygun buldu. O güne dek ayak basmamış olduğu bir barın sıcak havasına, hafif aydınlığına daldı.

Televizyon açıktı. Ekranda, masada oturan bir adam son haberler bültenini okuyor, seyircilerini görebilecekmişçesine, arada bir başını kaldırıp ileriye doğru bakıyordu. Tezgâhın ucunda, biri işçi kılığında iki adam oturmuş bir evin yapı işini konuşuyorlardı.

---

[8] *Ing.* başsavcı.

Ashby dirseklerini tezgâhın önündeki çubuğa dayadı, hafif ışığın az aydınlattığı şişelere baktı, sonunda, bilmediği bir viski markasını taşıyan bir şişeyi gösterdi.

"İyi midir?

— Sattığımıza göre bunu sevenler de var demektir."

Oradakiler o barda oturmanın Spencer için ne demek olduğunu bilemezlerdi. Onlar alışıktı buralara. Spencer'ın yıllardan beri bir bara girmemiş, zaten yaşamı boyunca da barlara pek seyrek gitmiş olduğunu bilemezlerdi.

Onu büyüleyen bir ayrıntı vardı: Çevresinde kırmızı, sarı, mavi ışıkların yanıp söndüğü, içi plaklarla, parlak dişlilerle dolu olan, koca karınlı camlı makine... Televizyon açık olmasa gidip bu makineye para atacak, nasıl işlediğini seyredecekti.

Birçok insana göre alışılmış bir makineydi bu. Ama yaşamı boyunca böylesini ancak bir iki kez görmüş olan Spencer için makinenin —Tanrı bilir neden?— müstehcen bir niteliği vardı.

Evinde içtiği viskinin tadına benzemeyen tadıyla önündeki viskinin de öyle müstehcen bir niteliği var gibiydi. Barın dekorunda, barmenin gülümseyişiyle ak ceketinde, yasak bir dünyanın parçaları olan bu şeylerin hepsinde, bir müstehcenlik vardı.

Neden yasak olduğunu Spencer sormuyordu kendi kendine. Arkadaşlarından birkaçı bara giderdi. Christine'in kuzeni Weston Vaughan efendiden adam sayıldığı halde, arada bir bir bara girer, kokteyl içerdi. Christine bara gitmeyi Spencer'a yasaklamış değildi, ayrıca.

Sadece kendisiydi bu yasakları koyan. Belki de birtakım şeylerin onun için bambaşka bir anlamı vardı da ondan...

Örneğin şu anda, içinde bulunduğu hava, çevre!... Bardağının doldurulması için işaret etmişti bile. Önemli olan bu değildi. Bu bar Litchfield'in bir sokağında, evinden on iki mil uzaktaydı. Gelgelelim, bu dekor, bu koku, müzik kutusunun çevresinde yanan bu ışıklardan ötürü Spencer artık belli bir yerde değildi sanki; bütün bağları ansızın kesilmiş gibiydi.

Christine'le Spencer geceleri arabayla pek yolculuk yapmazlardı ya, arada bir gitmişlikleri vardı yine de. Bir kezinde Cape Cod'a gitmişlerdi. Karayolunun üzerinde, her iki yöne doğru iki, ara sıra da üç sıra halinde kayıp giden arabalar vardı; farlarının ışığı insanın beynine saplanıyordu sanki. Yolun iki yanında kapkara uçurumlar vardı. Arada bir bir benzinliğin yüreğe su serpen aydınlık adacığını görüyorlardı. Kimi zaman da barları, gece kulüplerini belli eden mavi ya da kırmızı neon ışıkları görülüyordu.

Bütün bu şeylerin Spencer'ın başını döndürdüğünü Christine sezmiş miydi hiç? Spencer'ın gerçekten başı dönerdi. Solunda sürekli ürkütücü bir gürültü çıkaran, arabasına çarpmaması bir mucizeye benzeyen bu makinelerden birine gidip muhakkak toslayacaktı bir gün; Spencer'a hep öyle gelirdi...

Bu gürültü öylesine sağır ediciydi ki, sözlerini karısına işittirmek için Spencer bağırmak zorunda kalıyordu.

"Sağa mı sapacağım?

— Hayır. Bundan sonraki kavşakta sapacaksın.

— Bir işaret direği var ama..."

Christine de Spencer'ın kulağına bağırıyordu:

"Bizimki değil o!"

Arada bir mızıkçılık ediyordu. Var olmayan, kimsenin koymadığı bir kurala karşı mızıkçılık etmeye kalkmak tuhaf değil miydi? Birdenbire sıkıştığını, bir yerde durmaları gerektiğini ileri sürüyor, böylelikle bir barın yoğun havasına –bir an için olsun– dalmak, tezgâha dirseklerini dayamış, gözleri dalgın birtakım adamlar, bölmelerin loşluğu içinde birtakım çiftler görme fırsatını buluyordu.

Tezgâhın önünden geçerken:

"Bir scotch..." diye sesleniyordu.

Çünkü –yalan söylemiş gibi olmasın diye yapıyordu sanki– tuvalete koşuyordu. Çoğu zaman pisti oraları. Duvarlarında ara sıra birtakım sözler yazılı, açık saçık resimler çizili olurdu.

Yol üzerinde bu barlarla benzinlikler de olmasa insan geceleri yolunu nasıl kestirebilirdi? Bunların dışında her yer karanlık içindeydi. Köylerle kentler hemen hemen her zaman uzakta, uykuya dalmış olurdu.

Ara sıra barlardan birinin yakınlarında, arabalar geçerken bir karaltı karanlıktan sıyrılır, görmemezlikten gelinen bir kol havaya kalkardı. Bu karaltı kimi zaman bir kadın olurdu; biraz daha öteye götürülmeyi dileyen, istenecek ücreti ödemeye hazır bir kadın...

Nereye giderlerdi bunlar? Ne yapmak için? Önemi yoktu bunun. Binlerce insandılar kadınlı erkekli binlerce insandılar, böyle yol kıyılarından geçinen...

Kimi zaman da bir polis arabasının sireninin birden acı

bir fren gürültüsü içinde kesildiği duyulur, önünde durduğu karaltının bir manken gibi kaldırılıp götürüldüğü görülürdü. Böylesi daha da etkilerdi insanı. Polis, kazadan olsun başka nedenden olsun ölenleri de böyle toplardı; birtakım barlara girdiklerinde üniformalı adamların coplarını kullandıkları da olurdu.

Bir başka kez, güneşin daha doğmamış olduğu bir saatte, alacakaranlıkta içinden geçtiği Boston banliyösünde bir çeşit kuşatma görmüştü: Bir damda bir adam tek başına duruyordu, çevre de, sokaklarda, her yanda polisler, itfaiyeciler, merdivenler, ışıldaklar vardı...

Ryan'la Foster Lewis'e bundan söz açmamıştı. Söylememek daha iyi olurdu. Hele Boston'daki o olayda, damda duran adama imrendiğini anlatmamak daha iyiydi.

Barmen Spencer'ı, gelip birkaç dakika içinde kafayı tütsüleyen, sonra da gevşek adımlarla, doymuş, uzaklaşan o yapayalnız, kimsesiz ayyaşlardan sanmıştı; viskiyi üçleyip üçlemeyeceğini sorar gibi bir halle bakıyordu ona. Çoktur böyle ayyaşlar, içlerinde dövüşmek isteyenleri de vardır, ağlamaya başlayanları da...

Ama Spencer bu kategorilerden hiçbirine girmiyordu...

"Ne kadar?

— Bir dolar yirmi."

Bardan çıkıyordu ya, evine dönmek niyetinde değildi daha. Belki de Ryan'ın onu tutuklamaya karar vermesinden önce geçireceği son geceydi bu. Tutuklanırsa ne yapacaktı? Bilmiyordu... Savunacaktı kendini, Hartford'dan bir avukat tutacaktı... Bu işi kendisini cezaya çarptırmaya dek götürmeyeceklerine inanıyordu.

Sokakta yürürken, yanından anasının koluna girmiş küçük bir Yahudi kızı geçince Sheila Katz geldi aklına. Kıza bakmak için arkasına döndü; bunun da uzun, ince bir boynu vardı. Piposunu doldurdu, başını kaldırınca önünde bir *cafeteria*'nın aydınlık salonunu gördü. Her şey apaktı bu kafeteryada; duvarlar, masalar; bar... Bütün bu aklık içinde, tezgâhta yemek yiyen Bayan Moeller'den başka kimse yoktu. Bayan Moeller'in sırtı dönüktü. Başında sincap kürkünden bir başlık vardı kadının; mantosu da kürklerle süslüydü.

Niye girmesindi? Bugün biraz da Spencer'ın günüydü, her şeyi yapmaya hakkı vardı; öyle geliyordu ona... Bu serüveni önceden tasarlamıştı. Karısını alnından öperken bu gecenin başka gecelere benzemeyeceğini biliyordu.

"Nasılsınız Bayan Moeller?"

Elinde hardalları akıp duran bir hot-dog, şaşalamış bir halle başını çevirdi Bayan Moeller.

"Siz misiniz?"

Korkmuyordu ondan. Ama Spencer gibi bir adamın bu lokantaya gelmesine biraz şaşıyordu herhalde.

— Oturur musunuz?

Tabii oturacaktı. Kahve istedi, bir de hot-dog ısmarladı. Kendilerini aynada görüyorlardı ikisi de. Eğlenceli bir şeydi bu. Bayan Moeller onu biraz tuhaf buluyor gibiydi, Spencer da bundan alınmıyordu.

"Benim patrona çok kızmadınız ya?

— Hiç kızmadım. O da işini görüyor, ne yapsın...

— Ama böyle düşünmeyenler sık sık çıkar karşımıza....

Ne olursa olsun, bu işten pek güzel sıyırdınız yakanızı.

— Öyle mi dersiniz?

— Daha sonra gördüğümde her ikisi de memnun gibiydi... Sizin hemen evinize döneceğinizi sanmıştım.

— Niye?

— Bilmem. Hiç değilse karınızı meraktan kurtarmak için.

— Karım merak etmiyor.

— O halde alışkanlıktan diyelim...

— Hangi alışkanlık demek istiyorsunuz Bayan Moeller?

— Tuhaf şeyler soruyorsunuz canım! Yani evinizde oturma alışkanlığı diyelim buna. Düşünmezdim sizin böyle...

— Benim böyle güneş battıktan sonra şehir de gezecek bir adam olduğumu... değil mi?

— Eh, aşağı yukarı öyle...

— Oysa iki bardak viski içtiğim bir bardan çıkıyorum...

— Yalnız mıydınız?

— Ne yazık ki öyle! Size rastlamamıştım daha. Ama birazdan, izin verirseniz, zararımı kapatacağım. Niye gülüyorsunuz?

— Hiç... Bana bir şey sormayın.

— Gülünç mü oluyorum?

— Hayır.

— Pek mi acemice davranıyorum?

— O da değil.

— Gülünecek bir şey mi geliyor aklınıza?"

Sanki öteden beri birlikte gezerlermiş gibi teklifsiz bir davranışla Bayan Moeller elini Spencer'ın dizine götürdü; sıcaktı bu el, üstelik hemen çekilmedi, dizinin üzerinde kaldı bir an...

"Başkalarının zannettikleri Spencer Ashby'e pek benzemiyorsunuz gibi geliyor bana...

— Nasıl zannediyorlarmış beni?

— Bilmiyor musunuz?

— Can sıkıcı bir adam olarak mı?

— Yoo, öyle değil...

— Ağırbaşlı mı?

— Muhakkak...

— Sorgusu yapılırken, karısını hiçbir zaman aldatmamış olduğunu söyleyen bir adam... değil mi?"

Kapının arkasından sorguyu dinlemiş olmalıydı; çünkü bu söz karşısında kılı bile kıpırdamadı. Yemeğini bitirmişti; rujunu dudaklarının üzerinde bastıra bastıra gezdiriyordu şimdi. Spencer bu rujlara daha önce de dikkat etmişti, cinsel bir özellik bulmuştu bu boya tüplerinde...

"Ryan'a her şeyi anlattığımı mı düşünüyorsunuz?"

Biraz şaşırmaktan kendini alamadı Bayan Moeller. Kaşlarını çatarak:

"Sanmıştım ki..." diye başladı.

Spencer onu kuşkulandırmış olmaktan korktu; bu kez o elini koydu –ama uyluğuna doğru değil, çekiniyordu daha– kolundan tuttu.

"Doğru biliyordunuz. Ben şaka söyledim."

Bayan Moeller gözünün ucuyla şöyle bir baktı. Ama Spencer bu bakışı öyle bir soğukkanlılıkla karşıladı, öylesine

Crestview School öğretmeni, Christine'in kocası Spencer Ashby oldu ki, Bayan Moeller gülmekten katıldı.

Kendi düşüncelerine karşılık verirmiş gibi:

"Eh... diye içini çekti.

— Eh... ne?

— Hiç... Anlayamazsınız. Şimdi sizi bırakıp gitmeliyim; eve döneceğim.

— Hayır.

— Efendim?

— Hayır dedim. Bir yere gidemezsiniz. Benimle bir bardak içki içmeye söz verdiniz...

— Ben söz falan vermedim. Siz..."

Yaşamı boyunca oynamak istemediği oyun bu oyundu işte; oysa birdenbire ne kadar kolay görünüyordu bunu oynamak... Önemli olan sessizliği önlemek üzere gülmek, gülümsemek, rasgele bir şey söylemekti.

"Pek güzel. Madem bu sözü ben ettim, sizi ben götüreceğim... Buradan uzaklara... *Little Cottage*'a gittiniz mi hiç?

— Ama *Little Cottage* Hartford'da!

— Evet, Hartford yakınlarında. Gittiniz mi hiç?

— Hayır.

— Gidiyoruz o halde.

— Uzak ama...

— Arabayla yarım saat ya sürer ya sürmez.

— Anneme haber vermeliyim.

— Oradan telefon edersiniz."

Gören de bu çeşit serüvenlerde deneyimi var sanırdı. Güç

bir hokkabazlık numarası yapıyor gibi geliyordu Spencer'a...
Sokakta kar daha yoğun, daha hızlı yağıyordu şimdi. Yaya
kaldırımı boyunca taze karın içinde derin ayak izleri vardı.

"Ya tipi tutar da dönemezsek?"

Spencer ciddi:

"O zaman sabaha değin içmek zorunda kalırız," diye kar-
şılık verdi.

Arabasının üstü karla örtülüydü. Kıza kapıyı açmış, onu
arabaya bindirirken; işte ancak o zaman, ona –yardım etmek
bahanesiyle– dokununca bal gibi de arabasına bir kadın bin-
dirip götürmekte olduğu kafasına dank etti.

Christine'e telefon etmemişti. Karısı telefonla Ryan'ı evin-
den aramış olmalıydı şimdi. Hayır! Bunu yapmaya çekinmiş
olmalıydı; Spencer'ı güç duruma düşürmekten korkardı. Şu
halde kocasının niye geciktiğini hiç mi hiç kestiremiyor, beş
dakikada bir yerinden kalkıyor, gidip pencereden bakıyor ol-
malıydı; ama pencerenin ötesinde, kara kadifeden bir fon
üstünde karlar lapa lapa yağıyordu herhalde... İçerden bakın-
ca dışarısı hep kadife gibi görünürdü...

Az kalsın her şeyden vazgeçecekti. Budalalıktı bu. Bunu
şakacıktan yapmıştı. Başaracağı, kadının kendisiyle gelmeyi
kabul edebileceği aklından geçmemişti...

Oysa şimdi arabanın içinde, sıcaklığını hissedebileceği ka-
dar yakınına oturmuş, artık bunu söylemenin sırası gelmişçe-
sine doğal bir sesle:

"Yakınlarım beni Nina diye çağırır," diyordu.

Adının Gaby yahut Bertha olduğunu düşünmekle Spencer
yanılmıştı demek. Hem hepsi birdi zaten...

"Sizinki de Spencer... Adınızı kaç kez yazdım makinede, bilirim elbet. Adınızın güçlüğü kısaltılamaması... Spen de denemez ya size. Karınız sizi ne diye çağırır?

— Spencer der.

— Anlıyorum."

Ne anlıyordu sanki? Christine'in öyle kısaltılmış adlar kullanacak, bazen de bebek gibi konuşmaya kalkacak bir kadın olmadığını mı?

Spencer gerçekten korku içindeydi. Fiziksel bir korku... O kadar ki, kolunu uzatıp kontak anahtarını çevirecek cesareti bile bulamıyordu kendinde.

Şehirdeydi hâlâ; önlerinde yaya kaldırımının uzandığı iki sıra evin arasına. Sokaklarda insanlar yürüyor, aileler aydınlık pencerelerin arkasında akşam saatlerini geçiriyordu. Sokağın köşesinde bir polis duruyordu herhalde.

Bayan Moeller Spencer'ın duraksamasını yanlış anlamış olacaktı. Ya da vereceğini hemen oracıkta vermeye başlamak istedi belki de... İyi kızdı Bayan Moeller...

Yüzünü ansızın Spencer'ın yüzüne yaklaştırdı, etli dudaklarını dudaklarına yapıştırdı, sıcacık ıpıslak dilini ağzına soktu.

IV

Spencer saate son baktığında ona on vardı. Christine herhalde Ryan'a telefon etmiş olmalıydı artık. Spencer'ın eve daha dönmediğini, merakta kaldığını söylemiş olsa gerekti. Ryan da polise telefon ederdi herhalde. Christine kendiliğinden polise telefon etmemişse... Kim bilir? Belki de onu aramaya çıkmak üzere birinden bir araba istemişti... Ama nereden bulurdu arabayı? Bu durumda olsa olsa kuzen Weston'dan arabasını isterdi.

Ama bunları yaptıysa bile, Christine bu saatte artık eve dönmüş olmalıydı. Spencer'ın Litchfield'de ancak üç dört bara, iki lokantaya girebileceğini düşünürdü. Onu, Anna Moeller'le birlikte oturup hot-dog yediği kafeteryadan sormak kimsenin aklına gelmezdi herhalde.

Sarhoş değildi Spencer, hiç değildi. Altı yedi bardak içmişti, artık sayısını tam bilemiyordu, ama bu içkilerin hiçbir etkisi olmamıştı, kafası bulanmamıştı, gözünden bir şey kaçmıyor, durumu seçiklikle görüyordu.

Ryan'ın sekreteriyle gezdiği bilinseydi onu bulmak kolay olurdu; çünkü Anna *Little Cottage*'a varır varmaz annesine telefon etmişti. Spencer kızın arkasından telefon kabinine girmekten çekinmişti. Annesine kendisinden söz açıp açmadığını, nerede bulunduklarını söyleyip söylemediğini de sormamıştı. Dikkatli davranmak daha iyi olacaktı.

Yarım saat kadar önce Anna garip bir şey söylemişti. O da kafayı iyice bulmuştu. Spencer kadar içmişti o da. Spencer iki kez onu evine götürmeyi önermişti, ama artık gitmek istemeyen Anna'ydı. Spencer'ın kulak memesini ısırıp durduğu bir sırada, ortada hiçbir neden, herhangi bir neden yokken, insanın içini dökmek istediği zamanki konuşmasını andıran bir halle:

"Bereket Coroner'ın yanında çalışıyorum... Talihin varmış. Yoksa şu ara seninle gezmeyi göze alacak kız pek çıkmazdı!" demişti.

Little Cottage, Spencer'ın Danbury gazetesini okurken kafasında canlandırdığı yere benzemiyordu pek... Gazetede sadece barın sözü geçmişti; arkada bulunan, en önemli yer olan, ikinci salondan hiç söz açılmamıştı. Bu salonun benzerleri başka yerlerde de, hatta pek çok barda bulunsa gerekti; çünkü buraya hiç gelmemiş olan Anna Moeller, Spencer'ı dosdoğru oraya götürmüştü.

Bu salon ilkinden daha az aydınlatılmıştı. Işık tavanda, yıldıza benzetilmiş birtakım küçük deliklerden geliyordu sadece. Dans pistinin çevresinde ise, içlerinde yarım daire biçiminde birer sıra ile ufak birer masa bulunan bölmeler vardı.

Burası hemen hemen boştu. Müşterilerin çoğu herhalde cumartesi pazar günleri gelirdi buraya. Bir ara salonda onlardan başka kimse kalmamıştı. Barmen'in sırtında ak bir ceket yerine kolları sıvanmış bir gömlek vardı. Saçı kapkaraydı adamın. Besbelli İtalyan asıllıydı.

Spencer, Bella'nın öldüğü gece barına gelen bir çift üzerine sorguda verdiği bilgiyi düşünerek, barmenin kendisine ters ters bakacağını, belki de birtakım sorular sormaya kalkacağını sanmıştı. Oysa hiçbir şey olmamıştı. Demek Anna ile Spencer her zamanki müşterilerine benziyorlardı. Anna herhalde benziyordu o müşterilere... Barı hiç yadırgamamıştı. İçkisini susuz içiyordu. İki dans arasında yerlerine oturdukları zaman Spencer'a iyicene yapışıyordu. O kadar ki Spencer, gövdesinin bir yanının sızladığını duyuyordu. Kadın ikisinin de bardağını içip boşaltıyor, Spencer'ın kulak arkasını yalıyor, orasını burasını hafif hafif ısırıyordu.

Oturdukları yerden barı görmüyorlardı, ama barmen ufak bir pencereden onları görebiliyordu. Yandaki salonda kapının açıldığını her duyuşunda Spencer polisin geldiğini düşünüyordu. Tezgâhın bir köşesinde ufak bir radyo gözüne ilişmişti. Radyonun sesi kısılmıştı, müzik ancak duyulabiliyordu. Tehlike oradan da gelebilirdi. Onu şu anda arıyorlardı herhalde. Bu durumda kaçtığını düşünmezler, dolayısıyla Bella'yı onun öldürdüğüne iyice inanmazlar mıydı?

Olayların akışını değiştirmek ya da etkilemek için hiçbir şey yapmıyordu. Anna ona bir şarkı adı söyleyince gidip müzik kutusuna –pırıl pırıl, çevresinde ışıkların yanıp durduğu, onu düşlere salan makineye– parayı atıyordu...

Anna onu zorla dansa kaldırıyordu On dakikada bir dansa kalkalım diye tutturuyordu, hele bölmelerden birinde başka bir çift oturuyor ise... Bu bölmelerin iki tanesinde yarımşar saat kalan iki çift oturmuştu. O kızlardan biri –ufacık tefecikti, karalar giymişti– dans ederken, ağzı eşinin ağzıyla kaynaşmış gibi duruyor, dansın başından sonuna değin dudaklarını erkeğin dudaklarından ayırmıyordu; gören, kızı dudaklarından oğlanın ağzına asılı sanırdı.

Yollar boyunca ışıklı ilanlarına bu kadar baktığı bütün barlarda işler hep öyle mi olurdu?

Spencer dans ediyor, derisinin üzerinde Anna'nın boyalarının kokusunu, tükürüğünün kokusunu duyuyordu. Anna ona kesin hareketlerle ustaca sarılıyor, belirli bir amacı olduğunu saklamıyordu. O amacına erişince de tuhaf tuhaf kahkahalar atıyordu.

Anna hâlinden memnundu.

Gerçekten polis onları arıyor muydu?

Kalın bacaklarını ilk olarak, Ryan kendisini evlerinde sorguya çekerken gördüğü bir kızla gezdiğini, buraya geldiğini, Christine aklının köşesinden olsun geçirmese gerekti. Spencer Anna'yı buraya getirmekle yanlış bir iş yapmıştı. Gönlüne esi esivermiş, laf olsun diye, gezelim demişti. Kızın kabul edeceğini, ona uyacağını ummamıştı. Bir bardak içtikten sonra, kızı evine götürmeyi önererek bu yanlışını düzeltmek istemişti.

Ama ok yaydan çıkmıştı. Anna her zaman böyle yapıyor olsa gerekti. Spencer ona:

"Ryan'la gezdiniz mi hiç?" diye sormuştu.

Anna, gırtlaktan gelen, Spencer'ı tedirgin eden bir gülüşle karşılık vermişti:

"Ne sandınız beni? Bakire mi?

O anda Spencer'ın yüzünde gördüğü ağırbaşlı anlatımdan ötürü olacak, bunu bir oyun, bir can sıkma yolu haline getirmişti:

"Doğru söyleyin. Bakire olduğumu mu sanmıştınız? Hâlâ öyle mi düşünüyorsunuz?"

Spencer bu sözlerle Anna'nın nereye varmak istediğini hemen anlayamamıştı. Tartışmaya kalkmıştı onunla. Öyle ki, zavallı kızın amacına ulaşması epey vakit almıştı. Ulaşınca da, barmenin kendilerini gözetleyip gözetlemediğini anlamak üzere küçük pencereye doğru –alışkın bir halle– bir göz atmıştı.

Spencer'ın şimdi yaptıklarıyla kurmuş olduğu düş birbirini tutmuyordu. Anna'ya istek duymuyordu. Bu geceyi başka türlü hayal etmişti, başka türlü bir kadınla vakit geçireceğini düşünmüştü.

Bella başka türlü müydü?

Spencer ne yapsa, gözünün önünde ancak yerde yatan Bella canlanıyordu. Anna, Spencer'ın aklından geçenleri sezmekten uzaktı.

İçerken ağlayan kız –barmenin polise ifade verirken sözünü ettiği kız– da başka türlü olsa gerekti. İkinci salona girmiş miydi o? Spencer ifadenin ayrıntılarını anımsamaya çalışıyordu.

Yüzü ateş gibi yanıyordu; Litchfield'de Anna'yla arabaya bindiği andan beri de göğsünde bir ağırlık vardı. İçince ferahlayacağını, bu ağırlığın göğsünden kalkacağını sanmıştı, oysa alkol hiçbir değişikliğe yol açmıyordu. Sinirden ileri geliyordu bu ağırlık. Bir yokuştan aşağı iniyormuşçasına frene basmak istiyor, ara sıra soluğu kesiliyordu.

Olayları Anne Moeller yöneltiyordu; her zaman yaptığı şeyleri yapıyordu herhalde...

Spencer ne zaman kalkıp gitmekten söz açsa:

"Sus! diyordu Anna... Bu kadar sabırsız olma."

Spencer anlar gibi oldu. Kıza göre Spencer'ın gitmek istemesi, bardan çıkılınca gidilen bir başka yerde, başka türlü işlere girişmek içindi. Sözün kısası, Spencer'ın her zaman düşünmüş olduğu gibi, arabada yapılan işler için...

Bu düşünce onu biraz korkutuyordu ama... Bu yüzden o da gidiş saatini geciktiriyordu. Ancak işi sonuna dek götürmeden buracıkta yakalanmak da budalalık olmaz mıydı?

Katz o gün evine dönmüş olmasaydı, Anna'yı bırakır giderdi Spencer. Bir düşündüğü vardı. Evine varmadan arabayı yolun kıyısında bırakacak, sessizce yaklaşacaktı. İşçileri gözlemişti. Alarm telleriyle aygıtlarının nerede olduğunu biliyordu. Birinci katta buzlu camlı bir pencere vardı, bir banyo penceresi; hiçbir zaman iyice kapatılmayan bu pencerede işçiler çalışmamıştı. Bir merdiven bulması kolay olurdu, kendi garajında böyle bir merdiven vardı.

Ayaklarının ucuna basa basa odaya gidecek, dünyanın en sevecen sesiyle fısıldayacaktı:

"Korkmayın..."

Uykuya dalmış Sheila onu tanıyacaktı. Ondan korkmayacaktı. Sheila da mırıldanacaktı:

"Siz misiniz?"

Çünkü Spencer'ın kendi kendine anlattığı öyküde Sheila şaşırmıyordu, bir gün geleceğine güvenerek onu bekliyordu; lambayı yakmayacak, sıcacık kollarını açacaktı; bir uçurum kadar derin bir kucaklaşma içinde kendilerinden geçeceklerdi. Öyle olağanüstü, öyle heyecanlandırıcı bir şeydi ki bu, uğruna ölmeye değerdi.

"Neye daldın?

— Hiç...

— Hâlâ o kadar sabırsız mısın?"

Spencer bu sözlere bir karşılık ararken Anna:

"Heyecandan elin kolun bağlanıyordur eminim..." dedi.

Yine bütün ağırlığıyla Spencer'a yaslanmıştı, boyun bağıyla oynuyordu.

"Ryan'a anlattıkların doğru muydu?"

Sheila'lı öykü ne diye, odasında yerde yatan Bella'nın imgesiyle sona eriyordu sanki? Oysa Spencer bu öyküyü kendi kendine birkaç kez anlatmıştı bundan önce... Bu öyküye başka bir son düşünemiyordu sanki. Düşünse, bu hayal bir heyecanın son kertesi olmaktan artık çıkardı.

Kaşlarını çatmış, Lorraine'in sözlerini anımsamaya çalışıyordu.

"Sevgi dedikleri şey, bir kirletme gereksinimidir onlar için. Başka bir şey değil..."

Bu sözler belki Sheila'ya duyduğu istek için de doğruydu. Düşsel olayların akışında, bu düşünceyi destekleyebilecek küçük bir olgu da vardı.

Bella'nın annesi "İnan bana," diye sürdürmüştü sözünü, "böylelikle kendi kişisel günahlarından arınır gibi olurlar; daha bir temize çıkmış gibi gezerler ortalıkta..."

Anna'nın Spencer'ın yüzünde yaladığı, ağzından emip aldığı onun günahları mıydı? Kendisiyle gezmeyi öneren her erkeğin yanında Anna aynı biçimde davranıyordu. İyi davranmayı, karşısındakini mutlu kılmayı o kadar istiyordu ki!

"Dansa bir kezcik daha kalkalım, olmaz mı ha?"

Spencer sabırsızlanıyordu, ama niçin sabırsızlandığını artık bilemiyordu; kızın düşündüğü iş için mi, yoksa bu geceki serüveni bir an önce bitirmek için miydi bu sabırsızlanması? Herhalde her ikisi için. Düşünceleri seçikti gerçi, her zamankinden açık seçik... Ama içki yine de bir uyuşukluk yaratmıştı.

"Gördün mü?

— Hayır... Neyi?

— Şu ikisini... Solumuzda duranları..."

Bir delikanlıyla bir kız yan yana oturuyorlardı, erkek kolunu kızın omuzuna atmıştı, kız başını erkeğin omuzuna dayamıştı; yüzlerinde dingin bir kendinden geçmişlik anlatımı, kıpırtısız, gözleri açık, sessiz duruyorlardı ikisi de...

Spencer hiçbir zaman böyle olmamıştı. Hiç bir zaman da olamayacaktı herhalde. Belki Sheila'nın yanında böyle bir şey yapabilirdi. Ama o zaman da Sheila ertesi gün bütün kadınlara benzeyen bir kadın haline gelmemeliydi yeniden.

Spencer şu anda evine bir daha dönmeyeceğinin farkında mıydı artık? Böyle bir şeyi aklından geçirmiyordu. Ama barmene para verirken adamın kolundaki denizkızı dövmesi gözüne ilişince, üzerinde üç sıra arabanın her iki yönde akıp gittiği yol burnunda tüter gibi oldu, uzaktan uzağa, karanlığın içinde kollarını kaldıran karaltıların özlemini duydu.

Barın içinden geçmeden önce Anna, Spencer'ın yüzündeki ruj lekelerini sildi; dışarı çıkınca da, yol kıyısında duran arabalarla kapı arasında kalan aydınlık kaldırım parçasından geçerken, özentisizce Spencer'ın koluna girdi.

Kar epey birikmişti, ayak izleri artık kara kara durmuyordu içinde. Arabanın her yanı adam akıllı örtülmüştü. Buz tutmuş kapıyı açarken Spencer'ın parmakları sinirinden titriyordu.

Bu işlerin öyle yapılması gerekirdi, değil mi? Anna'nın yüzünde şaşkınlık izi yoktu. Geceleri arabaların arkasında şöyle bir görebildiği soluk yüzleri anımsıyordu Spencer. Şimdi Anna da arabanın arkasına geçip oturuyordu.

"Bekle, önce bir çekidüzen vereyim kendime..."

Spencer şimdiye değin yaptıklarını yapmış olduğuna göre canı bunu istiyor demekti. Yaşamı boyunca yüzlerce kez böyle bir dakikanın özlemini duymuştu. Düşlediği kadın varsın Anna gibi bir kadın olmasın. Ne çıkardı sanki bundan?

"*Bir kirletme gereksinimidir...*" demişti Lorraine.

O halde her şey yolundaydı. Çünkü Anna kendini kirletmek için çılgınca bir istek gösteriyor gibiydi.

"*...günahlarından arınır gibi olurlar...*"

Spencer bunu istiyordu. Bu işin olması gerekiyordu. Başka türlü olması için artık iş işten geçmişti. Şimdi bir polis arabası her an kendi arabasının yanında durabilirdi. Hem bundan sonra ne yaparsa yapsın, Spencer'ın suçlu olduğuna inanırlardı.

Bir an, sadece bir an, bütün bunların bir tuzak olup olmadığını, Anna'nın, Ryan'la ruh doktorunun isteği üzerine, kendisinin nasıl bir tepki göstereceğini anlamak düşüncesiyle yoluna çıkıp çıkmadığını sordu kendi kendine. Belki de son dakikada...

Yok ama, öyle değildi... Anna bu işi yapmayı şimdi Spen-

cer'dan da çok istiyordu. Spencer'ın yaşamı boyunca var ola-
bileceğini düşünmediği birtakım cinler, ifritler kıvrandırıyor-
du sanki kızı; Anna kulaklarının hiç işitmediği sözlerle, ken-
disini donduran davranışlarla yalvarıyor duruyordu. Spencer
şaşkınlık içinde kalakalmıştı.

Bu işin yapılması gerekiyordu, ne olursa olsun yapılması
gerekiyordu. Spencer bunu istiyordu. Anna kendisine alışa-
cak kadar bir süre bıraksındı sadece... Spencer'ın suçu yoktu
bunda. Çok içmişti. Anna'nın birtakım sözleri söylememesi
gerekirdi.

Bir sussa, kımıldamadan dursa, Spencer'ın Sheila üzerine
kurduğu düşleri sürdürebilmesine meydan bıraksa...

Spencer konuştuğunun farkına varmadan:

"Bekle biraz... Dur biraz..." diye fısıldıyordu.

Spencer gözlerinde güçsüzlüğün akıttığı yaşlar, belki de
gülünecek bir halde çırpınıyordu. İşte o zaman Anna gülme-
ye başladı; karnından yükselen kıyıcı, çatlak kahkahalarla
gülmeye başladı...

İteliyordu Spencer'ı. Küçümsüyordu onu. Onu...

Anna, Spencer kadar güçlü olsa gerekti; ama otomobilin
köşesinde sıkışıp kaldığı için, Spencer'ın elinden kurtulmak
üzere hareket edebilecek durumda değildi.

Boynu kalındı, güçlüydü, Sheila'nın boynuna hiç benze-
miyordu. Spencer işi bir an önce bitsin istiyordu. Anna kadar
acı çekiyordu şu anda.... Anna'nın gövdesi neden sonra gev-
şediği zaman Spencer'a bir şey oldu; ummadığı, şaşırtan,
utandıran bir şey... Bu şey yüzünden yüzü kızararak Lorra-
ine'in sözlerini anımsadı:

"...bir kirletme gereksinimi..."

🙟 🙟

Bara doğru dönerek:

"Bir *scotch and soda*," dedi.

Hemen ardından telefon kabinine girdi. Barmenin kendisine tuhaf tuhaf bakmasını beklemişti. Oysa barmen belki de saz rengi şapkalı başka bir İtalyanla –kapının önünde duran Cadillac da bunun olsa gerekti– pek heyecanlı bir konuşmaya dalmış olduğu için, Spencer'a dikkat bile etmemiş gibiydi.

Spencer kabinin camından görüyordu onları; biri daha oturuyordu barda, uzun boylu, seyrek –ama ipek gibi– kızıl saçlı, bardağına bir dert ortağına bakar gibi bakan bir adam...

"Bayan, Sharon polis karakolunu bağlar mısınız lütfen?

— Hartford karakolunu istemez miydiniz?"

İsrar etti:

"Hayır. Özel bir iş için arıyorum."

Bağlantının kurulması biraz uzun sürdü. Spencer operatör kızların bir santraldan öbürüne çene çaldıklarını duyuyordu.

"Alo! Sharon karakolu mu? Teğmen Averell'la konuşabilir miyim?"

Kendisine:

"Kim arıyor?" diye sorulacağından korkuyordu.

Adını söyler söylemez, en yakın polis arabasına gidip kendisini götürmesi için telsizle emir verilecekti. Spencer çok korkuyordu bundan. İsteseydi kaçabilirdi. Düşünmüştü bunu da, ama bu düşüncesine kendi bile kanamamıştı. Hele cesedi atmak için bir yerde durması da gerektiğine göre...

Hem neye yarardı? Kaçıp ne olacaktı?

Böylesi o kadar daha kolaydı ki! O adamlar oyunu kazanmış olduklarını düşüneceklerdi. Sevineceklerdi. İlahilerini rahat rahat söyleyeceklerdi.

"Teğmen bu gece nöbetçi değil. Kendisine verilecek bir haber mi vardı?

— Sağ olun. Özel bir iş için aramıştım. Evine telefon ederim..."

Saat kaçtı ki? Saatini yanma almamıştı. Durduğu yerden barın saatini göremiyordu. Tanrı vere de Averell sinemaya, ikinci seansa gitmemiş ola!

Rehberde numarasını buldu, sesini duyunca ferahladı. O zaman:

"Ben Spencer Ashby!" dedi.

Bir boşluk açılır gibi oldu. Yutkundu, sözünü sürdürdü:

"Hartford yakınlarında, *Little Cottage*'dayım. Beni sizin gelip götürmenizi isterdim."

Averell onu hangi nedenle götüreceğini sormadı. O da öbürleri gibi yanlış düşüncelere mi kapılıyordu şu anda? Sorduğu soru Spencer'ı şaşırttı:

"Yalnız mısınız?

— Evet, şimdi yalnızım..."

Telefon kapandı. Spencer kabinde oturup beklemeyi yeğlerdi, ama orada uzun süre kalması dikkati çekerdi. Christine'e görüşürüz demek üzere telefon etmesin miydi? Christine elinden geleni yapmıştı. Herhangi bir suçu yoktu. Telefonun başında bekliyor olmalıydı. Belki de şimdiye dek birçok kez olduğu gibi, bu akşam da telefonun zili çalmış, Christine birinin konuşmasını boşuna beklemiş, uzayın bilinmez bir yerinden gelen bir soluk sesinden başka bir şey işitmemişti.

Christine'i aramadı. Bara yaklaşıp iskemleye tırmandığında iki adam hâlâ İtalyanca konuşuyorlardı. Bardağının yarısını bir dikişte içti, karşıya baktı, şişelerin arasından, aynada, ruj lekesi içindeki yüzünü gördü. Mendilini tükürükleyip tükürükleyip yüzünü silmeye başladı; bunu yaparken burnuna gelen kokuyu çocukluğunda duyduğunu anımsıyordu.

Kızıl saçlı sarhoş şaşkınlık içinde bakıyordu Spencer'a:

"Dişilerle mi oynaştın kardeş?" demekten kendini alamadı.

Spencer Teğmenin gelişinden önce dikkati çekmekten o kadar korkuyordu ki, bu sözlere karşılık korkakça gülümsedi. Barmen de ona bakıyordu şimdi. Beyninde bir düşüncenin yavaş yavaş oluştuğu, boksör suratında izlenebilecekti neredeyse... Barmen başlangıçta anımsadığının doğruluğuna karar veremedi. Sonra gidip küçük penceresinden baktı. İşkillendi, ikinci salona girip bir göz attı.

Bara döndüğünde, başından çıkarmadığı şapkası, sırtında devetüyünden paltosu, boynunda atkısıyla oturmakta olan arkadaşına gidip bir şeyler söyledi.

Tehlikeyi sezmeye başlayan Ashby bardağını dikti, bir viski daha istedi. Bu viskiyi belki de vermeyeceklerdi. Barmen dışarıya yolladığı arkadaşının dönmesini bekliyordu.

Averell arabasının sirenini de öttürse, on dakikadan önce gelemezdi buralara. Bölmenin öbür yanında iki çift kalmış olmalıydı.

Spencer, boş bardağından içer gibi yapıyordu; dişleri takırdıyordu. Gözlerini ondan ayırmayan barmen bir şeylere hazırlanır gibiydi. Kolundaki dövme bütün ayrıntılarıyla belli oluyordu. Kolları kıllıydı, alt çenesi iyicene çıkıktı, burnunu kırmışlardı bir zamanlar...

Spencer kapının açıldığını işitmedi, ama sırtında buz gibi havayı duydu. Devetüyü paltolu adam anadilinde hızlı hızlı konuşurken, Spencer başını o sese doğru çeviremedi.

Korktuğu başına gelmişti. Averell ne yaparsa yapsın, iş işten geçtikten sonra gelecekti. Ashby herhangi bir karakola başvursaydı ya da arabasıyla bir karakola kendi gitseydi daha iyi etmiş olurdu.

Barmen tezgâhın arkasından çıkıp geliyordu, ağır ağır; ama ilk yumruğu o vurmadı... İskemlesinden inerken az kalsın yerlere serilen kızıl saçlı adamdı ilk yumruğu indiren... Her yumrukta geri çekilip hız alıyor, sonra ileriye atılıyordu...

Spencer onlara:

"Polisi ben kendim çağırdım," demeye çalıştı.

İnanmıyorlardı ona. Artık ona kimse inanmayacaktı. Bir tek insan inanacaktı sadece, hiçbir zaman tanımayacağı bir tek insan: Bella'yı öldüren adam...

Olanca güçleriyle vuruyorlardı. Spencer'ın kafası güm güm ses çıkarıyor, panayır kuklalarının başı gibi sağa sola sallanıp duruyordu. Arka salondakiler koşuyordu şimdi yardıma, kızlar ötede durup bakıyorlardı... Oğlanlardan biri –ufak tefekti, gürbüzdü; onun da suratı ruj lekesi içindeydi–

"Al bakalım!" diye homurdanarak dizini vargücüyle,

Spencer'ın apış arasına indirdi.

Bir siren sesi ardından, sağında solunda üniformalı birer polisle Teğmen Averell kapıyı açtığı zaman, Spencer Ashby çevresinde cam kırıkları, patlamış dudaklarından kanlar akarak en azından baygın bir halde bir iskemlenin dibine yığılalı çok olmuştu.

Belki de ağzını daha geniş gösteren bu kıpkırmızı yırtık yüzünden, Spencer gülümsüyor gibiydi.